Mental Health Initiative

**A Grant Funded by the
Southern California Library Cooperative**

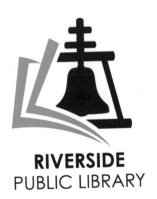

RIVERSIDE
PUBLIC LIBRARY

De
Bipolar
a
Bipolar

Alejandro Hernández

De
Bipolar
a
Bipolar

Guía práctica para afectados de Trastorno Afectivo
Bipolar, sus familias, amigos y otros allegados.
Incluye el relato: El Amor Bipolar

Editorial Círculo Rojo
www.editorialcirculorojo.com

Primera edición: abril 2014

© Derechos de edición reservados.
Editorial Círculo Rojo.
www.editorialcirculorojo.com
info@editorialcirculorojo.com
Colección *Autoayuda*

© Alejandro Hernández Dorta

Edición: Editorial Círculo Rojo
Maquetación: Juan Muñoz Céspedes
Fotografía de cubierta: © Fotolia.es
Diseño de portada: © Antonio López Galdeano

Producido por: Editorial Círculo Rojo.

ISBN: 978-84-9076-170-0

DEPÓSITO LEGAL: AL 328-2014

IMPRESO EN ESPAÑA – UNIÓN EUROPEA

*"Para los que persiguen sus sueños entre los dos polos,
por el cielo y el infierno, por la luz y la oscuridad,
siempre buscando nuestro camino"*

ÍNDICE

Introducción

Esta es una guía práctica para uso de personas afectadas por trastorno afectivo bipolar, e igualmente útil para sus allegados y familiares. La peculiaridad de este manuscrito radica en que a diferencia de otros, el autor padece igualmente dicha enfermedad. No obstante, el principal objetivo de esta introducción es presentarme. Siempre he considerado que cuando alguien pretende transmitir cierta clase de conocimientos sea en una publicación o en un aula, es útil saber algo de nuestro interlocutor. Quién es y qué experiencias de su vida avalan o incluso desacreditan aquello que nos está enseñando.

Me llamo Alejandro Hernández Dorta, actualmente tengo treinta años. Mi formación académica llegó hasta terminar magisterio de lengua extranjera. La enfermedad bipolar se me manifestó plenamente cuando tenía veintitrés años, aunque como a todos, pequeños rasgos se habían mostrado desde mi primera infancia. Tras dos años caóticos, empecé a implicarme activamente en el movimiento bipolar. Soy socio fundador de la Asociación Bipolar en Canarias, fui su vicepresidente durante los primeros años de andadura y actualmente soy el vocal y portavoz ante los medios de comunicación de la misma.

Además, he recibido cursos como Psicoeducador para trastorno bipolar por parte del Vicerrectorado de Extensión Universitaria de la Universidad de La Laguna.

A título personal, he leído mucho acerca de esta enfermedad y las formas de enfrentarse a ella. Además, en el grupo de ayuda mutua con el que consta la Asociación Bipolar en Canarias he conocido docenas e incluso cientos de casos con todas sus peculiaridades médicas y personales.

Mi objetivo con este libro es dar una herramienta sencilla que sirva a la persona afectada y a su entorno a desarrollar las estrategias e ideas que le ayuden a lidiar con esta grave enfermedad.

Definiciones del TAB

Uno de los aspectos más controvertidos acerca del trastorno bipolar es precisamente su definición. Cómo explicar en qué consiste, cómo explicarlo a otro afectado, a un allegado nuestro, a una persona que nunca haya oído hablar de esta enfermedad o incluso a una persona mal informada al respecto.

Un segundo punto no menos interesante de esta cuestión es el que se refiere a quien debo contárselo, cómo, cuándo, bajo qué circunstancias y si esa información va a ir en mi beneficio o perjuicio, e incluso si esas decisiones afectarán al resto de mi entorno. Una cuestión ésta, que para nuestra desgracia, obedece más a una dimensión social de estigmatización no sólo del trastorno bipolar sino de cualquier enfermedad de salud mental.

Reflexionaremos sobre este asunto tras presentar las diversas definiciones que he podido recabar en mi experiencia tanto bibliográfica como personal, y haber desgranado las ventajas e inconvenientes de cada una de ellas.

El trastorno bipolar es…
1. Una vulnerabilidad biológica al estrés
2. Una psicosis maniaco depresiva

3. Un fallo de base genética del sistema límbico, responsable de la regulación de ciertos neurotransmisores, que influyen directamente en nuestro estado de ánimo
4. Que a veces estoy demasiado animado y otras demasiado triste
5. Una prueba que nos pone nuestro Señor
6. La prueba de que somos el siguiente paso de la evolución emotiva del ser humano
7. Un trastorno del estado de ánimo

1. Una vulnerabilidad biológica al estrés

Esta definición, digamos que está en desuso y es un poco antigua. También se la podría tachar de parcial, ya que no menciona la sintomatología típica para TAB (Trastorno Afectivo Bipolar).

Sin embargo, pone énfasis en algo muy importante. Nos habla no tanto de cómo se manifiesta la bipolaridad, sino porqué. Antes incluso de darnos esa clave tan importante nos habla de un concepto igualmente interesante; la "vulnerabilidad biológica".

El término biológico tiene un fin claro, esta enfermedad es de origen interno, es un fallo de nuestro organismo o biología interna. Eso que puede ser una obviedad, muchas veces no lo es tanto. En el caso de los padecimientos psiquiátricos es común que la persona que lo padece así como su entorno busque las razones, el origen, en sucesos y personas relacionadas con el enfermo. Recurrir a las experiencias relacionadas con la infancia, con carencias afectivas en el desarrollo, o supuestos traumas por experiencias negativas es algo muy usual. No obstante, tanto el paciente como su familia debe liberarse de toda carga.

La persona con trastorno bipolar nacen con ello, no es culpa de nadie, ni de nada que haya hecho la persona.

El concepto vulnerabilidad nos habla acerca de que la persona con esta enfermedad son sensibles o se ven afectadas, por algo que no lo son las personas que no padecen esta enfermedad. Desde ese punto de vista, estoy totalmente de acuerdo. La persona que sufre esta enfermedad suele tener, la mayoría de las veces, graves complicaciones con elementos de la vida social y afectiva. Elementos que aunque no son agradables, sin duda, el resto de las personas lidian con ellos sin causarles perjuicio a niveles patológicos.

El elemento más clave y a la vez más ambiguo de esta definición es el estrés. Es una de esas palabras que todo el mundo usa, que todo el mundo identifica, pero que difícilmente podrá darle una definición. La acepción más común que se le suele dar al estrés, viene en relación con el exceso de actividad, trabajo, etc. Esta primera acepción es correcta, pero no completa. El estrés puede tener muchas caras. Por ejemplo, uno puede tener estrés físico, cuando es sometido a una actividad deportiva o física en exceso. Está más que documentado que en el caso de personas con TAB se deben controlar los niveles de actividad física, porque en exceso nos suelen lleva a padecer síntomas maniacos, de lo cual hablaremos posteriormente. El estrés mental o psíquico es mucho más complejo, y más que nada personal. Es decir, lo que a mí me estresa, no estresa a otra persona y viceversa.

Existen personas, como yo, cuyos mayores cuadros de estrés son causados por temas relacionados con mi vida laboral. Otras personas son más sensibles a su vida afectiva, teniendo graves dificultades para mantener una pareja o vida emocional activa. Hay personas sensibles a su entorno incluso a nivel climatológico, y que cuando se hacen los cambios horarios estacionales padecen sendas crisis. Cada persona sabe cual es su "talón de Aquiles", cuales son los elementos de su vida cotidiana que le causan, o que tienen el potencial de causarle más estrés y cuales menos.

Si es cierto, que como el nombre de la enfermedad señala, Trastorno Afectivo Bipolar, los elementos de carácter afectivo suelen ser los que más interfieren con el pronóstico de la misma, pero pueden haber muchos otros. Un concepto que es importante mencionar y que no es sencillo de asimilar a la primera, es lo que solemos llamar en nuestras reuniones de ayuda mutua como el "estrés positivo". Para una persona afectada por esta enfermedad, puede ser tan peligrosos el estrés causado por experiencias negativas como aquel causado por experiencias positivas. Los cuadros de manía suelen estar muchas veces desencadenados por un devenir de acontecimientos felices en distintos campos que, por así decirlo, "aceleran" a la persona.

2. Una psicosis maniaco depresiva

Esta definición, al igual que la anterior, está en desuso. Pero a diferencia de la anterior, esta se dejó de usar conscientemente ya que la medicina moderna la considera actualmente incorrecta. Sin embargo, aunque ya pueden haber pasado décadas desde que eso ocurriera, todavía se puede oír como se usa esta definición en distintos ámbitos, y lo que es peor, las personas aún siguen identificando la enfermedad con esta definición y su significado.

Lo más condenable de esta arcaica definición es el uso de la palabra psicosis. La psicosis, es un síntoma que ya desarrollaremos más adelante, y que las personas en general asocian con la pérdida total del contacto con la realidad o incluso la maldad. Al margen de la correcta definición de los rasgos psicóticos que ya desarrollaremos, el error consistía en que aunque dichos rasgos si se pueden dar en personas con TAB, éstos rasgos aparecen de forma aislada. Sólo un pequeño porcentaje de todas las personas afectadas por TAB llegan a desarrollar rasgos psicóticos, por lo que era incorrecto e injusto que a dicha enfermedad se la denominara como una psicosis.

Este gran error causó una "migración" de la terminología del TAB desde psicosis maniaco depresiva, a trastorno maniaco depresivo, a trastorno bipolar. Los términos maniaco y depresivo hacían simplemente alusión a los nombres de los dos episodios o crisis opuestos que padecía la persona con esta enfermedad. Sin embargo, el uso moderno de la palabra bipolar creo que es mucho más acertado. Este término nos habla de bi- polaridad, es decir, los dos polos,

los dos extremos. Creo que concentra de una forma mucho más apropiada y menos ofensiva en qué consiste este padecimiento.

3. Un fallo de base genética del sistema límbico, responsable de la regulación de ciertos neurotransmisores, que influyen directamente en nuestro estado de ánimo

Ésta es una definición de carácter médico, que nos introduce en los principios bioquímicos en los que radica el origen de la enfermedad. Una definición tan médica puede tener sus ventajas e inconvenientes. Por un lado, a veces el uso de un lenguaje científico, sin dimensión afectiva, puede hacer que el mensaje sea más directo.

No obstante, centrarnos sólo en la parte bioquímica de la enfermedad puede causar que no quede claro como se manifiesta el TAB y todos sus implicaciones psicológicas y sociales. Sea como fuere, definiciones de este tipo será adecuado usarlas según a la persona a la que nos refiramos, y la situación en la que nos encontremos.

4. Que a veces estoy demasiado animado y otras demasiado triste

Una definición así, aunque no es incorrecta, ejemplifica aquellas en las que se intenta desdramatizar acerca de la dimensión del trastorno bipolar. El uso de un lenguaje de este tipo es altamente recomendable cuando queremos dirigirnos a los niños. Sea porque se trate del hijo o hija de la persona afectada u otro niño con algún tipo de parentesco o relación con el paciente, yo recomiendo que no se les oculte ni se les mienta acerca del TAB en ningún momento. Siempre lo más apropiado será explicarles las cosas como se suele decir "a su nivel", y esta definición es un buen ejemplo.

Es mejor que nosotros intentemos satisfacer las dudas de un niño, que por naturaleza es curioso, a que él o ella saque sus propias conclusiones. Más aún, si cabe la posibilidad de que interaccionemos con ellos durante periodos de crisis tanto depresivas como maniacas.

Sin embargo, la utilización de este tipo de definiciones fuera del ámbito de la infancia puede no ser deseable. Las enfermedades mentales en general suelen ser causa de estigmatización social por miedo y desconocimiento. Y en este caso, puede ser igualmente contraproducente el llamado "infradiagnóstico". A veces, cuando queremos explicar el TAB con palabras demasiado suaves o amables corremos el riesgo de que ésta se infravalore. En muchas ocasiones habremos oído la frase "bipolar somos todos" o "eso lo tengo yo también", la valoración incorrecta por parte de un interlocutor de la gravedad de nuestra enfermedad puede ser tan perjudicial para nosotros tanto por exceso como por defecto.

La valoración por parte de otros en su justa medida, puede ser una tarea muy difícil de conseguir ya que la asimilación de los mensajes y descripciones que transmitimos acerca del TAB siempre estarán bajo la óptica de la persona que nos este escuchando. Por todo ello, es importante que modulemos nuestro lenguaje según las situaciones y las personas a las que nos dirijamos para que las ideas que queremos hacer llegar, lo hagan de la forma más exitosa.

5. Una prueba que nos pone nuestro Señor

Todos sabemos que hay mucha gente que consideran cualquier problema de salud en general, y en salud mental en concreto, como un asunto de índole religioso. En primer lugar he de decir que una actitud así tiene todo mi respeto aunque yo no la profese. La fe y las fuertes creencias religiosas son elementos que suelen dar mucha fuerza psicológica ante los avatares de la vida para aquellos que tienen la suerte de tenerlas.

Existen muchas personas que consideran estos males como un castigo o una dura prueba impuesta por un ser supremo. Desaconsejo totalmente esa actitud, la vida es extraña y azarosa, nadie sabe porque unas personas padecen enfermedades y otras no. Mi recomendación es que no se busquen causas en nuestras creencias, sino soluciones, fuerza y vitalidad que nos ayude a lidiar con este tipo de padecimientos.

Creo sinceramente que vivimos en una época en la cual los conocimientos médicos y científicos pueden convivir perfectamente con una fuerte fe; y creo que si estos dos elementos son usados correctamente la calidad de vida de la persona que padece TAB mejorará y mucho.

6. La prueba de que somos el siguiente paso de la evolución emotiva del ser humano

Ante todo he de decir que estoy completamente en desacuerdo con esta definición. Sin embargo, cuando analizamos el razonamiento en el que esta basado dicha afirmación, podemos extraer información y reflexiones interesantes acerca del TAB.

Según esta definición, en la evolución del ser humano desde la época de las cavernas, la emotividad del hombre ha ido creciendo según avanzaba su evolución así como sus civilizaciones. El abanico de emociones tanto positivas como negativas así como su complejidad ha ido en aumento a lo largo de las épocas. Esto, es cierto, y también es cierto que las personas afectadas por TAB tienen un abanico emocional más amplio que las personas que no lo padecen. Tanto es así, que personalmente creo que esa mayor "cultura emocional" que adquirimos todos nosotros tras sufrir las graves oscilaciones afectivas propias de nuestras crisis justifican la "leyenda" acerca de nuestras supuestas dotes en el campo de la expresividad artística.

A pesar de lo dicho, es obvio que la evolución se basa en un criterio adaptativo al ambiente. Por lo que es igualmente obvio que nuestras oscilaciones no solo no constituyen una ventaja adaptativa al medio, sino todo lo contrario. Dificultan, y mucho, nuestra vida diaria y la adaptación al entrono psicosocial que nos rodea.

Desmontado el argumento evolutivo, sí es cierto que hay numerosos artistas en la historia reciente y no tan reciente que se les atribuye el haber padecido TAB. Estas "aptitudes creativas" que parece que poseemos es algo a tener en cuenta, como parte de un enfoque terapéutico.

7. Un trastorno del estado de ánimo

Esta última definición es la que creo personalmente, junto con otros autores importantes, como la más correcta. Es una definición simple, directa y fácil de entender. Además, en mi experiencia personal, he visto que tiene aspecto interesante, que es que cuando definimos el TAB como trastorno del estado de ánimo la persona que nos lo ha preguntado suele responder con más preguntas en función de su interés y nivel de conocimiento que tiene sobre el tema. Esto ocurre con todas las definiciones en general, pero con esta ocurre especialmente.

Todo el mundo sabe lo que es el estado de ánimo. Todo el mundo sabe igualmente lo que es tener el estado de ánimo álgido o bajo. La palabra trastorno nos sirve para indicar que las oscilaciones que sufrimos son muy intensas. Incluso, para mayor aclaración, podríamos denominarlo; trastorno médico del estado de ánimo o trastorno químico del estado de ánimo.

En lo que se refiere al cómo, cuándo y a quién debemos contar nuestra situación, son decisiones muy personales. Tener TAB no es algo para estar orgulloso ni avergonzado, pero si podemos estar orgullosos de cómo lidiamos con él. No es recomendable divulgar a los cuatro vientos nuestra condición ni tampoco el secretismo absoluto. Para cada situación optaremos por lo que consideremos mejor para nosotros y nuestros seres queridos.

Tipos y Subtipos de TAB

En la Psiquiatría moderna existen principalmente dos manuales que catalogan las enfermedades y trastornos psiquiátricos así como sus subdivisiones. Un manual de origen europeo llamado CIE-10 y uno estadounidense, el DSM-IV. Las clasificaciones y definiciones varían ligeramente de uno a otro, además de que están sujetas a continuas revisiones y rectificaciones. En este libro voy a plantear la clasificación más usada y aceptada tanto por profesionales como pacientes.

A lo largo de este manuscrito veréis como muchas veces planteo la idea de las diferencias y peculiaridades de cada caso. Sin embargo, existen generalidades lo suficientemente significativas desde el punto de vista estadístico para poder hablar de subtipos de trastorno bipolar.

Para poder hablar de los subtipos de TAB debemos conocer el concepto de grafica vital. La gráfica vital es una gráfica que expresa el paso del tiempo en la vida del paciente a la vez que indica sus alteraciones en su estado de ánimo a niveles por encima o por debajo del estado de equilibrio.

Manía	
Hipomanía	---
Eutímia	
Distímia	---
Depresión	

Estos son los diferentes estados en los que se puede encontrar nuestro estado de ánimo en el rango patológico, es decir, más allá de las alteraciones del estado de ánimo de cualquier persona y que no son consideradas como rasgos de ninguna enfermedad. Aunque desarrollaremos los síntomas de cada una de estas fases o episodios en apartados posteriores, la definición breve sería la siguiente:

• Manía: Estado máximo de actividad, energía y normalmente euforia descontrolada.

• Hipomanía: Estado leve de la manía.

• Eutímia: Estado de equilibrio al que aspiran tanto los pacientes como sus terapeutas.

• Distímia: Estado de tristeza o depresión leve.

• Depresión: Estado máximo de tristeza y falta de energía

Trastorno Bipolar subtipo I

Se considerará que una persona padece trastorno bipolar subtipo uno si al menos una vez en su vida ha padecido un episodio maniaco mayor y uno depresivo mayor. Este es el tipo de TAB más común. La gráfica vital típica de este subtipo sería la siguiente.

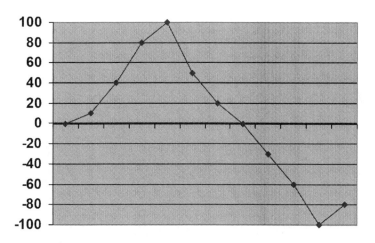

Trastorno Bipolar subtipo II

Este subtipo del trastorno se caracteriza por que la persona sufre depresiones mayores, normalmente con frecuencia y sin embargo, en el polo opuesto, solo llega a la hipomanía o manía leve. Esto es tanto así que incluso los periodos de hipomanía suelen confundirse con periodos de normalidad en comparación con el tono depresivo habitual de la persona. Este subtipo del trastorno suele ser más común en las mujeres.

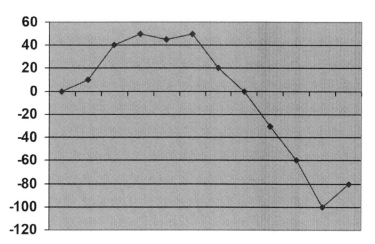

Ciclotimia

La Ciclotimia se considera una versión leve de la enfermedad. Aquella persona que padezca este subtipo solo alcanzara la depresión moderada o distímia y la hipomanía. Así pues, un ciclotímico no experimentará los aspectos álgidos de la enfermedad; ni el polo de la depresión mayor ni la manía álgida.

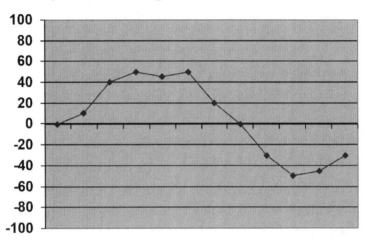

Episodio Maniaco

El episodio maniaco es aquel periodo de tiempo en que la persona con TAB sufre un estado de ánimo excesivamente álgido a niveles patológicos. A continuación presentaremos una lista de los síntomas principales así como su incidencia, es decir, con qué frecuencia se dan. Hemos de decir que de esta lista de síntomas, sólo hace falta mostrar rasgos de tres o cuatro de ellos para que se considere que la persona está padeciendo un episodio en ese momento. Aunque cada caso es muy distinto, estas listas nos pueden ayudar a identificar un episodio.

Síntomas maniacos:
- 100 % Aumento de la actividad
- 90 % Ánimo elevado
- 90 % Disminución de la necesidad de sueño
- 85 % Locuacidad
- 80 % Aceleración del pensamiento (fuga de ideas)
- 75 % Aumento de la autoestima
- 65 % Distrabilidad
- 60 % Aumento del impulso sexual
- 45 % Irritabilidad

- 40 % Síntomas psicóticos
- 35 % Abuso del alcohol

Aumento de la actividad:

Como muestran los datos presentados, éste síntoma es el más común y a la vez el más particular de todos los que puede presentar una persona afectada por TAB durante un episodio maniaco. La persona aumentará su nivel de actividad física e intelectual de forma drástica respecto a su estado normal. Este síntoma, como muchos otros, se basará en la personalidad del individuo para saber la forma en la que normalmente se manifestará.

Es decir, una persona aficionada al deporte y al ejercicio físico podrá duplica incluso cuadriplicar el tiempo que le dedica a estas actividades. Una persona con actividades más intelectuales como la lectura o el estudio también puede sufrir un desorbitado aumento de esas actividades, algo que normalmente, es más perceptible por el entorno que por la propia persona.

También es muy típico que en estado maniaco se manifiesten comportamientos de estilo creativo-artístico cuando normalmente la persona no tiene mayor interés en esas actividades.

El aumento de la actividad, cualquiera sea la forma en la que se manifieste tiene una naturaleza retroalimentaria. Es decir, cuanto más se hace, más y más querrá hacer la persona. Esto es especialmente cierto con las actividades físicas, la persona en estado maniaco no solo no agotará las energías físicas que tiene, sino que cuanto más energía gaste, más energía tendrá.

Ánimo elevado:

Una persona en este estado presenta un ánimo elevado más allá del buen humor. Cuadros de excesiva alegría incluso euforia son comunes aunque no imprescindibles. Este exceso de optimismo suele llevar a la persona en gran cantidad de ocasiones a razonamientos ilógicos. Creyendo que todo va a salir bien, ideando planes referidos a negocios y otros temas económicos llegando a manifestar comportamientos sociales intrusivos, como tratar a los desconocidos como amigos con los que se tienen mucha intimidad.

Disminución de la necesidad de sueño:

La persona que sufre este síntoma no sentirá la necesidad de descansar o dormir, pudiendo estar así durante largas jornadas de veinticuatro horas de forma indefinida. A diferencia del común insomnio la persona no mostrará signo alguno de fatiga o agotamiento.

La carencia de sueño tiene la capacidad de empeorar el resto de los síntomas. Como si de un catalizador se tratara, afecta a casi la totalidad de la sintomatología, aumentando posiblemente la intensidad en la que se manifiestan, incluso haciendo aflorar síntomas que sin ella no se habían manifestado.

Locuacidad:

Las habilidades verbales y comunicativas del enfermo de TAB suelen aumentar en estado maniaco. Es sorprendente como esta "verborrea" suele mantener unos niveles de coherencias que serían imposibles de mantener por alguien que no tenga TAB en un discurso tan abundante, y muchas veces basados en razonamientos ilógicos.

Por desgracia, la locuacidad de los episodios maniacos de los bipolares es la que causa de que en muchas ocasiones consigamos estar en situaciones o convencer a personas aumentando más y más, como una bola de nieve los descabellados asuntos a donde nos lleva dicho episodio.

Aceleración del pensamiento:

La persona que presenta este síntoma tiene la sensación de que no puede dejar de manifestar nuevas ideas una tras otra, tanto que a veces no consigue ni verbalizarlas o expresarlas de alguna forma.

El observador exterior, contemplará una persona inquieta y frustrada por no poder llevar a cabo todas las ideas, negocios y cualquier otro pensamiento que fluirán por su cabeza de forma descontrolada. Incluso este síntoma puede dar la falsa impresión de que la persona padece falta de atención o capacidad de concentración. Sin embargo, es el gran volumen de ideas y pensamientos que se producen en su mente la verdadera causa de ese aparente estado de distrabilidad.

Aumento de la autoestima:

Muchos de los síntomas del episodio maniaco vividos en primera persona pueden confundirse con el desarrollo de habilidades antes dormidas o aletargadas. La persona se siente más activa, con una capacidad creativa extraordinaria, etc. Por todo esto y por la acción neuroquímica propia de del episodio, la persona suele experimentar una subida de su autoestima y auto concepto personal a niveles patológicos. El afectado por TAB se creerá como el más apto en cualquier disciplina, creerá ser un superdotado en cualquier aspecto al que sea afín.

La subjetividad de este síntoma puede ser tal que la persona afectada por TAB puede llegar a creer que posee habilidades sobrehumanas, entrando en el marco de los delirios y los síntomas psicóticos de los que hablaremos más adelante y los cuales afortunadamente se dan en un porcentaje mucho menor de los casos.

Distrabilidad:

La distrabilidad como su nombre indica se refiere a un estado en el que el afectado tiende a distraerse. Su mente y su cuerpo está funcionando a una velocidad tal, que con frecuencia pierde el hilo de aquello de lo que está haciendo o pensando. Los proyectos que empiece hoy pueden habérseles olvidado al día siguiente o haberlos cambiado. También es posible la desorientación geográfica o incluso confundir la persona con la que se está hablando o con la que se habló acerca de ciertos temas.

La distrabilidad no es una pérdida de memoria, al menos no más allá de la perdida de atención por estar abarcando un volumen excesivo de pensamientos y acciones.

Aumento del impulso sexual:

La líbido o impulso sexual puede aumentar y disminuir drásticamente según el estado en el que se encuentre la persona afectada por TAB. Aunque este síntoma se suele pasar por alto debido a la trascendencia y el peligro que pueden constituir otros de esta lista, tiene una especial importancia desde el punto de vista del diagnóstico y autodiagnóstico.

La líbido en general es un indicador relativamente fácil de detectar. Cuando el afectado sufre una gran subida o una gran bajada de su deseo sexual puede ser indicativo de un episodio, o al menos de sospechas, que de otra forma serían más difíciles de detectar.

Irritabilidad:

Cuando una persona padece un episodio maniaco es muy susceptible a la frustración cuando no consigue que sus ideas se lleven a cabo. Esto junto con el gran ritmo de pensamiento acelerado y actividad física suele desencadenar cuadros de irritabilidad.

En los casos más virulentos esta irritabilidad puede derivar a la agresividad y la violencia. Es algo que debemos tener en cuenta, pero es igualmente importante saber que los cuadros agresivos son una minoría muy pequeña entre la generalidad de todas las personas que padecen un episodio maniaco.

Síntomas Psicóticos:

Este síntoma en potencia es el más peligroso, y en gran medida el causante del estigma social que padecen las personas con esta enfermedad. La psicosis es un síntoma que se caracteriza por la pérdida en mayor o menor grado por parte de la persona del contacto con la realidad. Dicho esto existen dos formas de manifestarse la psicosis:

- Las alucinaciones
- Los delirios

Una alucinación es una percepción errónea a través de alguno de los cinco sentidos. Por lo tanto pueden existir alucinaciones de múltiples tipos, así como combinaciones de ellas:

- **Visuales:** Ver cosas que no existen, desde colores y luces o personas imaginarias.
- **Auditivas:** Oír sonidos o voces que no existen, golpes o chirridos, incluso voces que nos hablan
- **Olfativas:** Oler olores que no existen, oler a quemado, a gasolina, oler algo vinculado fuertemente a un recuerdo de una persona o situación.
- **Gustativas:** Sentir la comida de forma irreal, quizá sabor a comida en descomposición, o con ausencia de sabor.
- **Táctiles:** Las alucinaciones táctiles son menos comunes, pero a veces hay personas que le molesta el contacto con la ropa o siente malestares y picores inexistentes.

Los delirios son ideas erróneas, imaginadas, o creadas a partir de fragmentos de información de una forma no lógica. Uno de los delirios psicóticos más común es pensar que la televisión, los vecinos, los de la mesa de al lado, etc., todo el mundo habla de nosotros.

La multitud de delirios posibles es enorme, más si se apoya en alucinaciones. Como todo síntoma puede haber manifestaciones más o menos benignas del estilo de "veo a mi vecina criticarme en el balcón todas las mañanas", u otras más graves y peligrosas tanto para la persona como su entorno como creer que alguien quiere acabar con nuestra vida, la creencia en vida extraterrestre, los poderes sobrenaturales, etc.

Abuso del alcohol:

El consumo de alcohol así como de otras drogas es algo digno de protagonismo de un capítulo diferenciado. Sin embargo, nos centraremos en el hecho de que si el abuso del alcohol es un síntoma común en periodo maniaco quiere decir que debemos controlar mucho más que cualquier persona el consumo de esta sustancia.

Parece que los afectados por TAB tenemos una sensibilidad superior a la media a los efectos narcotizantes y barbitúricos del alcohol en este caso, y a los efectos de otro tipo en el caso de otras drogas.

Episodio Depresivo

A la hora de describir la fase o los episodios depresivos de las personas afectadas por TAB hay que ser especialmente cuidadoso. La depresión como enfermedad es algo con lo que las personas se están acostumbrando a convivir. Sin embargo, las diferencias entre una depresión y un episodio depresivo bipolar pueden ser sutiles, pero su importancia es mayor. Cuando se habla de forma general de la depresión, se suele hablar de la depresión exógena, es decir, de origen externo, y en la mayoría de las ocasiones de origen ambiental. El trastorno bipolar y por lo tanto sus distintas etapas o episodios son endógenos, de origen interno por un mal funcionamiento de la química de nuestro cerebro y sistema nervioso central.

En el grupo de ayuda mutua al que pertenecí muchos años desarrollamos una metáfora que explica a la perfección esta diferencia:

La historia de la la pierna rota:

Había una vez dos senderistas que un día, ambos dejaron de caminar cansados como se sentían. Sin embargo, uno de ellos estaba agotado, mientras que el otro tenía una pierna rota. Los amigos y familiares del caminante agotado le dieron ánimos, e incluso ayudado por ellos dio sus primeros pasos y reanudó la marcha. Sin embargo, cuando intentaron hacer lo mismo con su compañero herido en la pierna, este no pudo reaccionar a los ánimos de sus seres queridos, incluso empeoró su estado cuando le intentaron ayudar a volver al camino.

Sus amigos y familiares no entendieron que con sus ánimos solo aumentaba la frustración del herido y que aunque necesitaba los ánimos, en parte lo único que se podía hacer es dejar que la pierna sanara por si sola antes de reanudar la marcha.

Esta metáfora, casi parábola, pone de manifiesto la diferencias entre depresiones de origen externo e interno. A un bipolar en episodio depresivo no se le puede intentar ayudar como a una persona con una depresión común. No solo se corre el riesgo de no ayudar al enfermo, sino que la frustración y los sentimientos de inutilidad aumentarán y empeorarán su estado.

A continuación haremos un desglose de los síntomas depresivos más comunes y su grado de incidencia:

- 86% Tristeza
- 86% Pérdida de energía
- 79% Dificultad para concentrarse
- 64% Cogniciones negativas
- 57% Disminución del sueño
- 57% Pérdida de interés (anedonia)
- 43% Pérdida de peso
- 43% Llanto
- 36% Pérdida del apetito
- 36% Síntomas somáticos
- 29% Irritabilidad

Tristeza:

Todos conocemos la tristeza y el estado de pesadumbre y desánimo que conlleva. A decir verdad, en el lenguaje común, cuando la gente habla de depresión y estado depresivo no se están refiriendo más que a un estado natural de tristeza. Una tristeza entendida dentro de unos márgenes no patológicos, los cuales muchas veces admito que no son fáciles de marcar.

Cuando llegó a mis manos este dato, mi sorpresa fue el pensar que solo en un 86% de los episodios depresivos se observan cuadros relacionados con la tristeza. El 14% restante manifiesta rasgos depresivos sin tristeza, algo que parece casi contradictorio, pero que pone de manifiesto una vez más las grandes diferencias que pueden haber entre la tristeza o depresión común y la que padecemos los enfermos de TAB.

Pérdida de energía:

La pérdida de energía física y mental que pueden padecer las personas en episodio depresivo mayor es asombrosa. La persona puede estar días, incluso semanas sin salir de su propia cama, su mente puede estar tan aletargada que no pueda razonar ni expresar ideas inteligibles. Es frecuente que la persona se centre sólo en dos o tres ideas, normalmente negativas, y no sea capaz de ver más allá.

Este síntoma suele ser muy frustrante y desalentador para el entorno de quien lo padece, mi consejo se refleja en la parábola anterior. Hay que pensar que el enfermo esta en una convalecencia y que necesita su propio tiempo para ir recuperándose. No digo que no se haga nada, solo que no lo fuercen, intenten que la persona este en un nivel de actividad un poco por encima del actual. Intentar que se asee, o que salga acompañado a la calle a comprar el pan, algo muy suave y siempre con refuerzo positivo, celebrando cada pequeño logro.

Dificultad para concentrarse:

Este síntoma va muy ligado al anterior. La capacidad de centrarse, concentrarse en un pensamiento, idea o tarea suele disminuir con mucha frecuencia en presencia de la depresión. Es por eso que en el caso de que el paciente muestre este síntoma es importante que no intentemos convencer a la persona acerca de su estado, porque simplemente no será capaz de razonar aquello que se le muestra. Es más recomendable que al depresivo se le hable de cosas sencillas, positivas, sin entrar en grandes conversaciones ni temas trascendentales.

Cogniciones negativas:

Este síntoma es muy común. La persona que sufre el episodio, le vendrán a su mente solo ideas negativas acerca de su vida y su entorno. Este efecto de "verlo todo a través de un cristal oscuro" suele tener una naturaleza de bola de nieve, donde pequeñas inseguridades o defectos terminan convirtiéndose en tragedias.

Esto es algo inevitable y parte de la naturaleza neuroquímica de la enfermedad. Sin embargo, aunque no se puedan hacer desaparecer, yo lo que recomiendo es intentar que el afectado por TAB "aparte" esas ideas. Es decir, no desecharlas ,pero a la vez, no pensar en ellas. Apartarlas a un rincón para poder analizarlas bien cuando nos encontremos en mejor estado.

Si el enfermo no tiene mucha conciencia acerca de la naturaleza de la enfermedad, sentirá una falsa sensación de lucidez y percibirá esas ideaciones negativas como verdades absolutas que habían estado ocultas hasta ese momento. Pero si conoce y es conciente del funcionamiento del TAB deberá dejar todas esas ideas aparcadas hasta que pueda analizarlas en pleno uso de sus facultades.

Disminución del sueño:

Este síntoma yo lo calificaría más como dificultad para conciliar el sueño. En un estado de aletargamiento físico la persona aunque se sienta cansada, su cuerpo no lo está y como tal, y a pesar que el enfermo suele vivir el sueño como un descanso a su estado, las dificultades para dormir aparecen con frecuencia. Es un círculo vicioso en el que cuanto más cansado me siento menos actividades hago, por lo que menos duermo y más cansado aún termino.

Es por eso que aunque la persona este agotada, es más que recomendable que realice unas pequeñas actividades que le ayuden a llegar cansado a las horas de sueño.

Pérdida de interés:

Las personas que sufren este síntoma, pueden manifestar una apatía extrema, llegando más allá de la pérdida de interés por sus actividades habituales incluso alcanzando la absoluta anedonia. La anedonia se define como la incapacidad de experimentar placer. El enfermo de TAB no querrá saber nada de sus aficiones, amistades, el gusto por la comida, las relaciones sexuales... Cualquier actividad con la que experimentaba algún tipo de placer por pequeño o grande que este fuera, dejará de tener interés para la persona durante el episodio depresivo.

Normalmente se puede crear una cierta pauta acerca de cómo se manifiesta este síntoma, algo que nos puede ayudar en su detección precoz. Los "placeres" por los que se suele perder primero interés son aquellos de mayor complejidad. Es decir, suele desaparecer antes el placer que provoca una afición compleja como hacer largos viajes o la expresión artística, que la de actividades más "pasivas" como la televisión, el cine, o un simple paseo por el barrio. Este proceso también se manifiesta a la inversa, cuando la persona va recuperándose de un fuerte estado depresivo suele surgir el interés por los pequeños placeres en primer lugar y aquellos más elaborados cuando la recuperación está más avanzada.

Pérdida de peso:

Es cierto que es muy común este síntoma durante los episodios depresivos. Sin embargo, la sintomatología relacionada con los hábitos alimenticios suele comportarse de manera contradictoria o más bien caprichosa.

Aunque el estado de ánimo bajo suele perjudicar el sano apetito y por lo tanto causar debilidad y pérdida de peso, si nos encontramos ante un episodio con cuadros de ansiedad y angustia puede manifestarse el síntoma opuesto, ya que el consumo excesivo de alimentos es un "ansiolítico" al que solemos recurrir de forma instintiva muchas personas.

Esta claro que cualquier desajuste drástico el los hábitos alimenticios de la persona con TAB serán tomados en consideración como síntomas. Este es uno de los síntomas más fáciles de constatar, por lo que tiene un especial interés desde el punto de vista del seguimiento médico y farmacológico de la enfermedad.

Llanto:

El llanto es algo a lo que está familiarizado cualquier persona, sea bipolar o no. Normalmente lo asociamos como una manifestación natural y física de un estado psicológico y a su función terapéutica, es decir, nos sentimos mejor de aquello que nos aflige después de llorar.

Desgraciadamente, en el marco de la salud mental existe el llanto de forma continuada y sin provocar alivio ni mejora. Al igual que otros síntomas, es un síntoma que suele retroalimentarse, cuanto más lloras, más y más seguirás haciéndolo. Con esto no quiero desaconsejar el llanto como desahogo, lo que quiero decir es que hay que ser cautos para no entrar en un círculo vicioso de lágrimas sin fin ni sentido.

Pérdida de apetito:

Ya he comentado la naturaleza un tanto caprichosa de los síntomas relacionados con la alimentación. ¿Existe la pérdida de apetito sin perdida de peso?, ¿Existe la pérdida de peso sin pérdida de apetito?. Ambas preguntas tienen respuestas afirmativas, los cambios de humor que causan el TAB acompañado por los cambios neuroquímicos de sus funciones cerebrales, crea un entorno en que cualquier combinación es posible.

Una persona puede tener su apetito muy malogrado y sin embargo mantener su peso debido a la baja actividad y energía del organismo. En otro caso pueden ocurrir cambios tan notables en la calidad de los alimentos que el afectado ingiere que hasta causen aumento de peso coexistiendo con síntomas de pérdida de apetito. Como dije anteriormente lo importante de estos síntomas es que cuando detectemos un cambio brusco en las costumbres de la persona debemos actuar, ya que pueden ser una posible señal de algo más importante.

Síntomas somáticos:

La somatización se entiende como la manifestación de una dolencia física causada por un mal de origen psicológico o neuroquímico. Es frecuente que aparezcan dolencias o dolores sin causa médica en personas con episodio depresivo. Dolores de espalda, articulares, de oído, erupciones cutáneas, urticarias, problemas de equilibrio; esto son sólo unos pocos ejemplos de la gran multiciplidad de la sintomatología somática. Dentro de los cuadros causados por el TAB como fuera de ellos, lo importante acerca de las somatizaciones es saber que la persona no se los inventa. Normalmente cuesta creer que ciertas manifestaciones físicas sean por causa de un estado psicológico determinado, pero es así, y la medicina lo ha comprobado. Lo que comúnmente se llama el poder de la mente sobre el cuerpo tiene su más amarga cara en estos síntomas.

En casos extremos, las somatizaciones pueden causar grandes males como la ceguera o la abertura de heridas sangrantes sin causa aparente. El consuelo para una persona con TAB es que las somatizaciones son solo eso, somatizaciones, y suelen remitir de forma natural, al igual que remiten nuestros episodios tarde o temprano.

Irritabilidad:

Es difícil imaginar como una persona que muestra síntomas como tristeza o pérdida de energía pueda tener cuadros de irritabilidad, pero como hemos comentado, las combinaciones suelen ser múltiples e inesperadas. En mi experiencia personal y como observador de otros casos, diría que la principal causa de irritabilidad en una persona en episodio depresivo suele ser el factor tiempo. Los episodios depresivos pueden prolongarse mucho en el tiempo llegando a seis meses, nueve meses incluso peores. Los niveles de frustración de la persona que los padece suelen ir en aumento. Esto es algo más que comprensible y yo pediría paciencia y comprensión para el entorno de la persona que manifieste estos cuadros. Es cierto que el agotamiento y la frustración no es exclusiva del enfermo y que también puede perjudicar y mucho a su entorno, pero aún así la postura del entono de una persona en un episodio debe ser mucho más comprensible y conciliadora. A veces los bipolares nos comportamos como animales atrapados durante largos meses en un cepo de cazador. Débiles sí, pero al mismo tiempo muy frustrados e irritados.

Aunque compadezco a las personas que tienen en su entorno alguien con estos síntomas, a esos padres, parejas y otros; he de darles mi humilde consejo de que tengan paciencia, que la persona no solo no es conciente del daño que hace, sino que no es médicamente apto para poder darse cuenta de ello a muchos niveles.

Otros rasgos de los episodios

Existen aspectos importantes acerca de los episodios en TAB al margen de su sintomatología más común. Si he presentado los cuadros de síntomas antes de esta información es porque creo que el lector, sea afectado o allegado puede verse reflejado con facilidad en aquellas características que se dan con más frecuencia en ambos extremos de la enfermedad bipolar.

Desencadenantes

Cuando se habla de TAB y sus crisis, rara vez, y sea cual sea el círculo en el que nos movamos, se hablará de las "causas" de las crisis o episodios. El trastorno bipolar no funciona con una relación clara o directa de causa y efecto, en lugar de eso en la mayoría de los casos se habla de desencadenantes. Un desencadenante es un pequeño motivo que pone en marcha el episodio, el cual una vez plenamente desarrollado, poco tiene que ver con aquello que lo haya desencadenado. Con esto quiero decir que deja de tener importancia y por hacerlo desaparecer o arreglarlo, el episodio no va a desaparecer sino que seguirá su evolución natural.

Existen desencadenantes ambientales que pueden llegar a sorprender al lector inexperto. Muchos bipolares tiene crisis desencadenadas por cambios climáticos o simplemente son "cíclicos" y su organismo las sufre cada cierto tiempo determinado. A veces un estímulo positivo desencadena cuadros depresivos y viceversa. Pequeños problemas afectivos, laborales, materiales; cada uno de nosotros solemos ser sensibles a un tipo de desencadenantes más que a otros, examinar el inicio de nuestras crisis y averiguar cuáles son nuestros "desencadenantes tipo", puede ser un auténtico paso de gigante en nuestra relación con esta enfermedad.

Pondremos algunos ejemplos:

- Desencadenantes climatológicos: Cambios bruscos de temperatura, cambios de estación, alergias estacionales, etc.
- Desencadenantes temporales: Una época determinada del año, un aniversario de un matrimonio, nacimiento, cumpleaños, aniversario de defunciones, etc.
- Desencadenantes ambientales: Viajes a lugares lejanos, cambios de horarios, cambio de domicilio, cambios en la rutina diaria, etc.
- Desencadenantes emocionales: Iniciar o terminar una relación emocional, sucesos emocionales de gran importancia como contraer matrimonio, empezar una convivencia con la pareja, el nacimiento de un hijo o hija, etc.
- Desencadenantes laborales: Estrés laboral, aumento o disminución de la jornada laboral, aumento o disminución de las responsabilidades en el puesto de trabajo, conflicto con nuestros superiores o subordinados, etc.
- Desencadenantes "orgánicos": Cualquier padecimiento o enfermedad que pueda alterar sensiblemente nuestro estado de ánimo.

La lista es infinita, pero aún así animo a que cada persona intente localizar sus desencadenantes personales y trabaje con ellos, mientras este equilibrado por supuesto, para que estos le afecten cada vez menos, para que obtenga un mayor control sobre ellos, o simplemente aprenda a evitarlos.

A pesar de lo dicho, no estamos exentos a padecer un episodio debido a una causa clara. Algún suceso trágico o que causara gran euforia en cualquier persona no afectada por TAB puede ser igualmente un desencadenante de un episodio bipolar. Curiosamente, cuando estamos "entrenados" en enfrentarnos a nuestros peculiares desencadenantes, solemos tener una inesperada fortaleza para enfrentarnos a los grandes avatares de la vida.

Temporalización

Existen múltiples estudios que ponen de manifiesto ciertos aspectos de la enfermedad comunes a todos nosotros en lo que a su desarrollo en el tiempo se refiere. El más notable y fácil de reconocer es que las crisis depresivas suelen durar mucho más que las crisis maniacas.

Un episodio depresivo suele ser lento en su aparición e igualmente lento en su recuperación. Las cifras exactas variarán según cada caso y según cada episodio. Normalmente se habla de episodios depresivos de entre uno y seis meses de duración, algunas veces se puede superar el año y otras veces se dan cuadros depresivos cortos en el tiempo que en realidad no superaron la distímia leve o moderada. En otras ocasiones, por desgracia, personas que padecen Trastorno Bipolar subtipo II aparentan llevar largos años dentro de una misma crisis depresiva alternando periodos de depresión mayor con distímias más leves.

El episodio maniaco, por su naturaleza explosiva suele ser mucho más corto, rara vez superaran un mes de longitud. Aunque existen casos en que se han prolongado los estados eufóricos debido al consumo de sustancias ilegales. Otro aspecto importante es que en la mayoría de los casos, tras una crisis maniaca suele ir una depresiva. Rara vez se pasa de la manía a la eutímia. El efecto de "desinflado", de "caer de los cielos", nos suele sumergir en una crisis depresiva justo al salir de la manía álgida.

Cuadros poco comunes

En un porcentaje muy pequeño de los casos existe lo que se conoce como ciclación rápida. Se considera que un paciente de TAB esta ciclando rápido cuando manifiesta alternamente cuadros depresivos y maniacos a lo largo de pocos días o incluso dentro de un mismo día con tan solo horas de diferencia.

Otro fenómeno poco común pero de importancia es el del episodio mixto. Un episodio mixto es aquella crisis que manifiesta una mezcla entre síntomas depresivos y maniacos. Es especialmente duro, ya que desde el punto de vista del tratamiento médico es muy difícil de tratar. El abordaje farmacológico de forma conjunta de unos síntomas aparentemente opuestos tiene una dificultad añadida.

Diagnóstico

El diagnóstico del TAB es algo que por experiencia personal y ajena sé que es algo de lo que se suele tener una mala experiencia. Es uno de los aspectos que primero comenta un bipolar o familiar cuando entra en un grupo de terapia y creo, que como tal, merece un desglose de sus peculiaridades.

Hace unos años la OMS (Organización Mundial de la Salud) cifraba el tiempo medio que se tarda en hallar el diagnóstico correcto de bipolaridad del orden de seis a ocho años. Los diagnósticos en salud mental son muy complejos, a diferencia de otras especialidades más "orgánicas", no existe prueba o analítica que sirva para confirmar u orientar al psiquiatra. En la gran mayoría de los casos el especialista en salud mental debe trabajar sólo con la historia del paciente, con los datos recabados a lo largo de los años que puedan poner de manifiesto una sintomatología muy concreta o un patrón de comportamiento en el tiempo de cierta o ciertas enfermedades.

Existen buenos y malos profesionales de la salud mental como existen buenos y malos profesionales en cualquier profesión, pero al margen de esa consideración quiero poner de manifiesto la complejidad de la obtención de un correcto diagnóstico. Algunas veces los pacientes tenemos la sensación de que nuestro médico o psicólogo experimenta con nosotros, y es cierto que muchas veces la única forma de avanzar hacia un diagnóstico es hacer pruebas de ensayo y error con ciertos fármacos o terapias.

Puede ser un proceso frustrante, pero si queremos mejorar nuestra calidad de vida nuestra actitud debe ser de colaboración para obtener entre ambos, profesional y paciente, un diagnóstico cada vez más certero.

Mi consejo personal es que no juguemos a ser médicos, no nos sobre informemos acerca de la enfermedad ni consumamos literatura destinada a profesionales de la salud mental. El mayor riesgo no está en que no entendamos la información a la que accedemos, sino que la malinterpretemos dificultando, y mucho, nuestra relación con nuestro médico así como el trabajo conjunto que realizamos con él en pro de un diagnóstico ajustado a nuestro padecimiento.

Tratamiento médico-farmacológico

A partir de este momento explicaremos lo que yo considero los distintos niveles o barreras de las que debería constar un buen tratamiento para trastorno bipolar. Aunque no hago una diferencia entre la mayor o menor importancia de unos u otros si considero que se deben dar en un orden determinado, de tal forma que, si fallan los primeros niveles el trabajo que hayamos hecho en otros no servirá de nada.

El primer nivel es el del tratamiento farmacológico prescrito lógicamente por un médico psiquiatra. Uno de los aspectos más importantes acerca del tratamiento farmacológico del TAB es nuestra actitud hacia él.

Una de las primeras frases que se me quedaron grabadas cuando hace años empecé a recibir psicoeducación es aquella que dice que, "el tratamiento farmacológico para trastorno bipolar es paliativo, no preventivo". Es decir palía, nos ayuda con la enfermedad, pero no la previene. Esto es algo que debemos tener en cuenta a la hora de crearnos expectativas acerca del tratamiento. No me malinterpreten, puede que el tratamiento médico del TAB sea sólo paliativo, pero su importancia es enorme. De echo, una de las principales causas de un mal pronóstico de la enfermedad es la llamada falta de adherencia al tratamiento. Las peculiaridades de nuestra enfermedad y de la acción de distintos fármacos hace que, de forma errónea, dejemos muchas veces la medicación, debemos ser concientes de ellas para evitar caer en el engaño.

Ausencia de conciencia de enfermedad:

Es común el bipolar que deja su medicación porque cree que ya no la necesita incluso porque cree que ya no está enfermo. Cuando tenemos cuadros de manía o hipomanía nos sentimos fenomenal, creemos que no estamos enfermos, y si es así, para qué tomar medicación alguna. Incluso podemos llegar a pensar que sus efectos secundarios o su propia acción nos impide realizarnos plenamente. Son razonamientos completamente erróneos, dejar la medicación en esos estados no sirve más que para catapultarnos a un estado aún peor de la enfermedad

También es común la poca adherencia al tratamiento durante los periodos de estabilidad, muchas veces ante una sensación de salud y estabilidad pensamos que no necesitamos fármaco alguno. Aunque es cierto que en largos periodos de estabilidad los médicos a veces se plantean dosis más bajas de la medicación habitual, dejar la medicación es el error que nos hará abandonar esa estabilidad que tanto nos ha costado obtener y entrar de lleno en un ciclo de manías y depresiones una vez más.

Acabamos de nombrar la dificultad de la diagnosis para TAB y que en mucha ocasiones eso causa que nuestro médico deba probar diferentes fármacos y dosis hasta llegar con aquella que mejor funciona con nosotros. En ocasiones, la convivencia con fuertes efectos secundarios nos empuja a abandonar la medicación. Soy muy consciente de la frustración de un paciente en un caso así, pero si queremos que esa situación mejore lo mejor que podemos hacer es seguir a raja tabla el tratamiento ya que es la única forma de que nuestro médico tenga unos datos reales de nuestra reacción ante ellos.

Durante la rama depresiva de esta enfermedad no suele darse el abandono de la medicación, la persona no solo se siente enferma, sino que a menudo más de lo que está, lo que se conoce como sobre identificación con la enfermedad. Además un bipolar depresivo no suele tomar decisiones en contra de la voluntad de sus familiares y terapeutas, con excepciones claro.

Siguiendo mi propio consejo, no voy a hablar de los distintos medicamentos, efectos, principios activos, etc. de la gran multitud de fármacos que existen para el tratamiento del TAB. Creo que es una información que no debemos manejar nosotros, sino nuestros médicos y terapeutas. Sin embargo, si podemos hablar de las grandes familias de fármacos con las que lidiamos normalmente, y que bien nos hacen. Porque aunque no seamos ni médicos ni farmacéuticos si ayuda a la adherencia del tratamiento el que sepamos mínimamente como funcionan y que efecto nos provocan ciertos fármacos.

Yo suelo decir que esta enfermedad es como tres enfermedades en una, porque según nos encontremos en la rama de la manía, eutimia o depresión, el tratamiento no solo será radicalmente distinto, sino a veces hasta opuesto.

A la persona desconocedora o simplemente que lleva poco con el diagnóstico le puede extrañar que le receten fármacos que se describan a sí mismo como antiepilépticos o antipsicóticos, creyendo que su medico se ha equivocado o algo peor. La psicofarmacología es muy compleja, y sí, a veces tomamos fármacos cuya función original o principal es tratar enfermedades como la epilepsia. Debemos tener en cuenta que en un prospecto o presentación comercial de un fármaco puede venir los usos más comunes o típicos y no debemos extrañarnos o sentirnos ofendidos si no nos identificamos con aquello que dice.

Eutimizantes:

Los eutimizantes o estabilizadores del ánimo son aquellos fármacos cuya función principal es la de mantener nuestro ánimo actual. Es de suma importancia que sepamos que aunque el efecto terapéutico de estos fármacos no suele ser llamativo su importancia es grandísima. El eutimizante más extendido y más usado es el litio, en España comercializado como Plenur en forma de carbonato de litio. Es común en los últimos años que se prescriban al mismo tiempo distintos eutimizantes, uno reforzando la acción del otro. También se da casos de eutimizantes con efectos sedativos que ayudan al paciente a tener un ritmo de sueño más estable.

La perspectiva de tener que tomar ciertos fármacos de forma indefinida puede ser desalentadora, pero debemos pensar que al igual que un diabético debe tomar a diario insulina, nosotros debemos tomar nuestra medicación, sea cual sea nuestro estado, y aunque éste cambie aparentemente de forma continua.

Antipsicóticos:

Al igual que advertíamos acerca de lo que viene en los prospectos, algo similar ocurre con los antipsicóticos. Cuando nuestro médico nos receta un antipsicótico, en absoluto significa que estemos psicóticos o con síntomas psicóticos. Aunque puedan usarse para tal, los antipsicóticos es la familia de fármacos que se utilizaran mayormente para cuadros de manía, incluso en cuadros leves de hipomanía. Suelen tener muchos efectos secundarios, pero eso es porque intentar revertir un estado maniaco cuesta mucho desde el punto de vista químico.

Suelen usarse en periodos de tiempo reducido. Sin embargo, recientemente han salido antipsicóticos que de forma eventual y por sus distintos efectos terapéuticos se usan de complemento en tratamiento durante la eutimia.

Antidepresivos:

Los antidepresivos son unos fármacos por desgracia muy comunes y con los que las personas están cada vez más familiarizadas. Pero al igual que hablábamos de las diferencias entre las depresiones comunes y la de los trastornos bipolares, hay sutiles diferencias que debemos tener en cuenta.

Los antidepresivos suelen actuar de forma lenta y tanto el comienzo del tratamiento como el abandono del mismo debe ser paulatino. No suelen causar efectos drásticos en el ánimo del paciente, sino que éste, poco a poco, se suele ir sintiendo mejor con el paso de los días, semanas, incluso meses.

Con los antidepresivos más modernos y específicos para trastorno bipolar ocurre cada vez menos pero siempre se habla de que estos fármacos tienen cierto peligro para los enfermos bipolares. Eso es así porque pueden causar lo que se llama "efecto rebote". La persona puede pasar directamente de un estado depresivo a otro maniaco, es algo muy frecuente en personas que aun no han sido diagnosticadas y son tratadas como si tuvieran cuadros depresivos de otro tipo. En mi caso particular este efecto rebote fue el que puso a mi médico tras la pista del diagnóstico bipolar.

Irónicamente, esta singularidad química entre nuestra enfermedad y los antidepresivos puede acortar en años el tiempo necesario para dar con el correcto diagnóstico y tratamiento.

Ansiolíticos:

Los ansiolíticos se usan para el tratamiento de la ansiedad y angustia. A diferencia de las otras familias de fármacos, éstos pueden ser prescritos en cualquier punto de nuestra enfermedad, sea en manía, eutimia o depresión. Suelen tener efecto inmediato, usándose muchas veces como medicación para ayudar a dormir, y aunque suelen tener efectos muy agradables se recomienda que su uso sea responsable. Pueden crear tolerancia, es decir que cada vez se necesite mayor dosis para alcanzar el mismo efecto y también pueden causar dependencia por parte de nuestro organismo, por lo que el abandono de su ingesta debe ser paulatino.

Creo que los ansiolíticos es una herramienta polivalente y de gran efectividad. Pero como todo, deben usarse de forma sensata e intentando desarrollar medidas de control de la ansiedad por nuestra propia cuenta.

Tratamiento Psicoterapéutico

El tratamiento de la enfermedad con la ayuda de un psicólogo clínico es el que yo considero como segundo nivel del tratamiento global para TAB, y sin embargo, existe cierta controversia dentro y fuera de los círculos profesionales de la salud mental acerca de la efectividad o necesidad del mismo.

En mi opinión, dichas discrepancias vienen porque durante las crisis el tratamiento psicoterapéutico tiene poca efectividad. Digamos que, por así decirlo, se considera el estado en el que se encuentra un paciente durante un episodio de una dimensión neuroquímica tan fuerte, que el tratamiento debe ser igualmente neuroquímico, o sea, psiquiátrico-farmacológico.

Sin embargo, he de romper una lanza a favor de la psicoterapia, destacando ampliamente su labor preventiva. Cuando más necesitamos la psicoterapia es cuando estamos eutímicos, es el momento ideal para aprender y entrenarnos para afrontar el futuro mejor preparados. Las formas de terapia son docenas, aunque destacaría la conocida como cognitiva conductual. Sea cual sea el método que use nuestro terapeuta, la psicoterapia es muy útil en aspectos vitales de la enfermedad como la relación con nuestro entorno, la adherencia al tratamiento, la detección precoz de los episodios, el análisis de las ideaciones negativas, el análisis de los delirios psicóticos y un largo etcétera.

El tratamiento psicológico para TAB no se debe ver tanto como un proceso terapéutico sanador, sino como proceso de aprendizaje, autoconocimiento y adquisición de herramientas para lidiar con el pasado, presente y futuro de la enfermedad

Visto desde este punto de vista, es cierto que se puede plantear la psicoterapia durante un periodo de tiempo finito, aunque hablemos de años. El propio terapeuta puede "darnos el alta", pensando que ya hemos aprendido todo lo que necesitábamos, y quizá recurriremos a él o ella cuando nos enfrentemos a nuevos aspectos de la enfermedad o simplemente nuevas situaciones ambientales.

Sea como sea, le recomiendo a todo afectado por TAB a que disfrute de un proceso de psicoterapia al menos alguna vez en su vida.

Grupos de Ayuda Mutua y Psicoeducación

Este tercer nivel del tratamiento digamos que es el más personal y que realizamos entre nosotros, sin necesidad de profesionales de la salud mental.

Psicoeducación

La psicoeducación es la rama de conocimiento que imparte aquellos contenidos y herramientas que puede usar un afectado de una enfermedad mental para aplicarlos a la convivencia personal con su enfermedad.

La psicoeducación puede ser impartida por un profesional de la salud mental, pero no es necesario. Se consideran conocimientos científicos a nivel divulgativo y como en mi caso y el de este libro, puede ser incluso impartido por una persona afectada que haya sido psicoeducada previamente. Al margen de la dimensión teórica de la psicoeducación, los psiquiatras y terapeutas que he tenido la suerte de conocer y hablar acerca de sus pacientes psicoeducados destacan la gran mejoría en su evolución.

Existe un efecto terapéutico de la persona que empieza a ser psicoeducada. El afectado por TAB empieza a sentirse útil y responsable de su propio estado, deja de comportarse como un barco a la deriva y lucha por coger el timón e ir en la dirección deseada. Sí, las personas psicoeducadas sabemos que nos rodea un mar bravo, y que muchas veces no podremos evitar las embestidas, pero aún así sabemos que en muchos aspectos podemos tomar el rumbo de nuestra vida.

Grupos de Ayuda Mutua

La Ayuda Mutua es una forma de terapia donde los propios afectados se apoyan mutuamente. Existen grupos de ayuda mutua de multitud de tipos, familias de victimas del terrorismo, diabetes, discapacidades y un largísimo etcétera. Existen asociaciones bipolares por todo el territorio español que tienen los conocidos como Grupos de Ayuda Mutua Bipolar (GAMB). Yo personalmente pertenezco a uno desde hace largos años y no podría describir los inmensos beneficios que me ha reportado.

Las personas comparten sus experiencias, sean afectados como familiares, aprenden de las experiencias ajenas, sienten una fuerte y terapéutica sensación de empatía al ver cuanta gente está afectada por TAB y los paralelismos que fácilmente encuentran entre sus diversas vivencias. Como he dicho los beneficios son enormes y aunque no es necesario la guía de ningún profesional de la salud mental yo recomiendo que exista en cada grupo al menos una figura de dinamizador de grupo, que sería alguien bien psicoeducado que resolvería dudas y evitaría que se llegara a conclusiones erróneas.

El TAB y Yo

Cuando uno sufre una enfermedad mental como esta y más cuando lleva muchos años padeciéndola uno empieza a perder su propia identidad. No recordamos como éramos antes de que la enfermedad se manifestara o lo vivimos como un recuerdo lejano y ajeno. Al igual que, como parte del proceso de aprendizaje psicoeducativo, debemos conocer nuestra enfermedad y todas sus facetas. Considero que debemos hacer lo mismo con nuestra propia identidad.

Padecemos TAB pero no somos el TAB, creo que es muy terapéutico definir claramente quiénes somos y cómo es nuestra personalidad al margen de la enfermedad. Sinceramente creo que por el bien de nuestra autoestima debemos reafirmarnos como personas al margen del trastorno bipolar. Sí, sabemos que síntomas se manifiestan en nosotros, incluso que rasgos de nuestra personalidad se deforman y retuercen durante las crisis, pero ese no somos nosotros. Al igual que cualquier persona, debemos reafirmar nuestros rasgos de personalidad únicos e irrepetibles, luchar por reforzar nuestras virtudes y combatir nuestros defectos.

Cuando sufrimos un periodo de crisis no somos responsables de nuestros actos. Estamos enfermos, y eso que suena como una obviedad es algo muy difícil de aprender tanto por parte del bipolar como de su entorno. Yo suelo decir que estar en un episodio es como ir en el asiento del copiloto. Puedes ver lo que haces, sabes a dónde vas, pero no tienes control alguno de lo que ocurre. No es una concepción muy alentadora, pero tiene otra cara de la moneda. Cuando estamos estables somos nosotros, es el momento de disfrutar de nuestras vocaciones, aficiones y seres queridos. El vivir la enfermedad y nuestra propia mente como cosas separadas nos motiva para mantener y luchar por los periodos de estabilidad. Creo que la vida puede ser maravillosa, simplemente nosotros debemos luchar más por ella.

Cormobilidad

Se define como cormobilidad cuando coexisten en un mismo paciente distintas enfermedades. Por desgracia para nosotros debemos ser especialmente cautos con algunas de ellas, ya que los estudios hablan de un alto grado de cormobilidad.

El tabaquismo y el alcoholismo parecen tener una estrecha relación con el TAB, y en general las adicciones a sustancias ilegales. Irónicamente son en los casos de ciclotimia cuando se dan más casos de consumo de drogas ya que las usan para prolongar en el tiempo sus estados leves de manía y depresión. Esta claro que el consumo de cualquier sustancia ilegal es perjudicial para la salud pero los afectados por TAB parece que tenemos una especial sensibilidad a las drogas por lo que pido desde aquí un cuidado extremo.

Los daños que pueden producir el alcohol y el tabaco son extensos y no soy yo el indicado para ilustrarlos pero si he de decir que debemos tener especial cuidado ya que la incidencia del alcoholismo en población afectada por TAB en algunos estudios apuntan hasta el 40% de los casos.

También existe cormobilidad con otras enfermedades mentales, lo que dificulta el diagnostico y el tratamiento. Algunos casos seria la cormobilidad con trastorno esquizoafectivo, trastorno límite de la personalidad e incluso esquizofrenia.

Con esta explicación quiero poner de manifiesto que aunque el TAB es muy complejo y necesita mucho de nosotros para lidiar con el, no solo debemos estar pendiente de posibles padecimientos, sino que en algunos casos somos especialmente sensibles a padecerlos conjuntamente al TAB.

Autolisis y Suicidio

La auto lisis o auto lesión y el suicidio son un tema muy tabú en nuestra sociedad, y muchas veces, en las escasas ocasiones que se habla de ello, se hace de una forma muy fría como algo muy lejano o inexplicable. Sin embargo, es un tema a tratar, las estadísticas hablan solas, la mitad de las personas que padecen TAB han intentado al menos una vez acabar con su vida y hasta un 13% de la población bipolar muere por esta causa. Como cualquier aspecto de la enfermedad creo que su análisis es necesario y ayuda mucho a la hora de combatirlo.

Los intentos de suicidio por TAB suelen concentrarse en dos momentos muy concretos de nuestra gráfica vital, aunque el primer supuesto es mucho más escaso que el segundo.

El primer supuesto sería aquella persona en fase de manía álgida con síntomas psicóticos. En ocasiones, y es esta la verdadera causa de los ingresos psiquiátricos, los rasgos psicóticos pueden constituir un verdadero riesgo para la salud física del enfermo o de terceras personas.

Bajo el yugo de la psicosis, podemos creer que podemos volar, o que nos persigue un asesino, que somos invulnerables, etc. Delirios, ideas erróneas que nos pueden conducir a cometer actos suicidas o que dañen a personas inocentes. En estos casos no hay psicoeducación que valga, si una persona muestra síntomas de este calibre lo mejor que le puede suceder es que lo ingresen en una unidad psiquiátrica de internamiento breve hasta que con el tiempo y un potente tratamiento farmacológico estos síntomas remitan. Sé que muchos afectados por TAB viven los internamientos como algo traumático y como un fracaso personal. Sinceramente, al pensar en que yo mismo pudiera dañar a alguien o cometer suicidio por culpa de un brote psicótico desde aquí pido que si alguna vez manifiesto síntomas de tal magnitud, que alguien me ingrese. Sea un familiar, la policía o quien sea, con ese gesto literalmente me estarán salvando la vida.

El segundo supuesto constituye la gran mayoría de los casos y ocurre cuando un afectado por TAB acaba de pasar por el estado más intenso de una depresión mayor y apenas se ha recuperado. Una persona en este punto, aún tiene muy presente el sufrimiento y las ideas negativas de la depresión mayor y por desgracia empieza a tener algo de energía para llevar a cabo tales ideaciones.

Los intentos de suicidio en estas circunstancias tienen un grado de éxito alto. El peligro radica en que a diferencia de otros cuadros suicidas, el suicida por TAB en este estado no usa las tentativas de suicidios como forma de llamar la atención. Bajo el mutismo que experimentan como parte del episodio suelen planear minuciosamente y de forma muy discreta aquello que pretenden hacer. Normalmente no comunican a nadie sus intenciones, ni siquiera sus ideas negativas de baja autoestima, inutilidad, etc. Una persona en este estado solo piensa en acabar con el sufrimiento que padece y en acabar con el dolor que causa a sus seres queridos.

Es muy difícil por parte del entorno de la persona actuar precozmente ante una situación así, los afectados por TAB en esa fase de la grafica vital somos muy poco comunicativos y pasivos. Mi humilde consejo es que estemos especialmente atentos en este punto de la enfermedad. Debemos intentar que la persona verbalice sus ideaciones negativas, no infravalorarlas, no intentar razonarlas, pero si evaluar el peligro subyacente que puede haber. Los ingresos hospitalarios por cuadros depresivos no suelen ser frecuentes, pero si hay riesgo de autolisis o suicidio se hará, y es trabajo del entorno del bipolar y de su medico evaluar la gravedad de su estado. Las personas en este estado suelen tener sus habilidades cognitivas bastante recuperadas, así que no caigamos el error de pensar que con guardar la medicación bajo llave y otras medidas similares conseguiremos evitar los intentos. Si la persona esta decidida a hacerlo encontrará el modo.

Nuestro enfoque debe ser evaluador del estado del bipolar y actuar con una hospitalización a tiempo si es necesario. En este punto es clave la colaboración entre familia, entorno, psiquiatra e incluso psicoterapeuta.

Sé que hablar de este aspecto del TAB es muy duro, a mí mismo me cuesta en algunos entornos. Sin embargo, debemos romper el tabú en torno al suicidio, porque es el primer paso y la única forma de combatirlo. Sé lo que es estar en el estado que he descrito anteriormente y yo mismo he cometido un intento de suicidio. El estado de dolor y sufrimiento que nos llevan a cometer esta atrocidad no se puede explicar ni razonar. Mi postura personal ante ello es sencilla, hacer todo lo que esté en mi mano para nunca volver a padecer un estado depresivo tan intenso. La psicoeducación es un arma muy poderosa, pero parte de ella es conocer sus límites, en lo que se refiere a los intentos de suicidio hay que ser fuertes y firmes. A todos los familiares, parejas, hijos, hijas de bipolares que hayan pasado por este trance mi más sincero apoyo y respeto.

Detección de Pródromos

La detección de pródromos es una de las metas más altas a la que aspira la psicoeducación. Se define como pródromo al indicio de un síntoma, antes de que surjan los síntomas depresivos o maniacos, antes de que surjan los síntomas hipomaniacos o de distímia leve, existen los pródromos, las pequeñas señales que si las detectamos a tiempo podemos trabajar sobre ellas y evitar el episodio que pueda estar gestándose.

El pródromo de un síntoma suele ser una versión suave o menos intensa del síntoma a que corresponde. Por ejemplo sabemos que el aumento de actividad es el síntoma más común para cuadros de manía. Siempre antes de que ese aumento sea vertiginoso hay pequeñas señales, aunque las vivamos de forma positiva, de que nuestro nivel de actividad ha aumentado ligeramente. Es muy importante que sepamos cuales son los síntomas particulares que solemos manifestar cada uno de nosotros, después de hacerlo, como algo más minucioso, debemos detectar cuales son los pródromos previos que nos pueden indicar el inicio de una dinámica que nos llevará a una crisis. Puede parecer una meta imposible o demasiado ambiciosa, pero os aseguro que la detección de pródromos es la herramienta más efectiva para prolongar nuestros periodos de estabilidad incluso durante años.

Algunas veces la relación pródromo – síntoma no está tan clara. Un síntoma de delirios de grandeza o narcisismo puede tener un pródromo tan curioso como que cambiemos casi sin pensarlo nuestra forma de vestir, con colores llamativos o simplemente estilos que no solemos usar. Podríamos nombrar un sinfín de síntomas y posibles pródromos, incluso síntomas que no hemos desarrollado por su baja incidencia, lo importante es adquirir una actitud de auto observación que nos permita llevar una vida satisfactoria y al mismo tiempo detectar de forma precoz las oscilaciones del TAB.

Aunque parezca una idea contraria a lo que he desarrollado he de decir que como bipolares tenemos todo el derecho a las oscilaciones emocionales de cualquier persona, las llamadas no patológicas, pero también he de decir que dichas oscilaciones de alegrías y tristezas que serían comunes y normales en personas sin TAB, nosotros debemos tener cuidado de que no desencadenen aspectos patológicos de nuestra enfermedad.

Una gran motivación para llevar a cabo la detección de pródromos como herramienta de prevención de recaídas es que esta demostrado en muchos estudios sobre TAB que cuanto más tiempo pasamos en eutímia más resistentes a sufrir una crisis somos. Así que cada día que gracias a nuestro esfuerzo nos encontramos dentro de la estabilidad, es un día más que nos vuelve más fuerte para resistir las crisis.

¿Qué hacer?

Tras plantear la detección de pródromos, muchas veces los afectados incluso su entorno se preguntan, y con razón, qué hacer en caso de que aparezcan distintos pródromos o incluso los primeros síntomas de un episodio.

La principal norma es la de <u>recurrir a nuestro médico y al reajuste de la medicación siempre que detectemos alguna señal que lo requiera.</u> Como ya hemos dicho, en el TAB el tratamiento farmacológico cambia radicalmente según el estado en el que nos encontramos, y en muchas ocasiones la única medida necesaria es cambiar nuestra medicación a tiempo tras describirle los pródromos a nuestro psiquiatra.

Sin embargo, mi experiencia personal me ha enseñado que hay muchísimas cosas que podemos hacer antes de recurrir a nuestro médico. Medidas compensatorias aplicadas por nosotros mismos, que nos ayudan a combatir los pródromos. Si tenemos exceso de actividad, nos obligamos a volver a nuestro estado anterior, si estamos desanimados, pues nos forzamos y salimos, quedamos con amigos, etc. todo lo necesario para que desaparezcan dichos pródromos. El estrés y la ansiedad muchas veces se combaten simplemente resolviendo los conflictos que los causan o con la relajación que obtenemos gracias a nuestras aficiones, parejas, amigos, etc.

Somos como una balanza que cuando se inclina en un sentido u otro debemos intentar equilibrarla otra vez, y siempre tener presente que si escapa a nuestras posibilidades el compensarnos por nosotros mismos, no dudar en recurrir al reajustes de la medicación siempre bajo la estrecha supervisión y colaboración con nuestro médico.

Aunque todo esto suene muy teórico o incluso utópico, he de reafirmarme y decir que siguiendo la psicoeducación y por lo tanto tomando parte activa en el control del TAB, nuestra calidad de vida mejora enormemente.

Ahora, como broche final, me gustaría brindaros con una pequeña historia, un relato de ficción sobre el TAB. Siempre me ha gustado como la literatura tiene la fuerte capacidad de trasmitirnos ideas, aquellas que siempre bullen en nuestra cabeza cuando leemos la última página de una novela. Humildemente, quiero regalaros este relato, espero que lo disfrutéis.

El Amor Bipolar

Prólogo

¿Dónde demonios estoy?, ¿Qué día es hoy?, mi cabeza. Me duele la cabeza. Creo que me duele la cabeza. ¿Se puede dudar del dolor?. Sí, sí se puede, pero hay que estar realmente mal. Algún filósofo, no recuerdo quién, de esos de los que se citan en latín, decía que de lo único que no se duda es de la duda. Como si fuera lo último a lo que uno puede aferrarse. Cuando uno duda quién es, dónde está y cuándo está, lo único que te queda es la duda.

Algo deshace todas mis dudas, algo tan sencillo, algo tan simple que hasta el más ilustre de los intelectuales se sorprendería. No puedo ni tocarme la frente para ver si tengo fiebre, tengo la mano atada. Atada a la cama, eso sólo puede significar una cosa.

He vuelto, estoy aquí dentro otra vez. En esta caja de Pandora en la que estamos encerrados todos los horrores del mundo. No estoy en la cárcel. Por mucho que las noticias lo vendan así, a los delincuentes no se les teme, se les repudia, se les aparta, se les odia, pero no se les teme.

Sin embargo, a nosotros sí. Nos temen tanto que no salimos ni en las noticias. A los delincuentes se les odia por lo que hacen, a nosotros se nos teme porque nadie sabe lo que podríamos hacer. El mal se puede entender, comprender, todos hemos deseado alguna vez hacer algo malvado. La locura es distinta; es incomprensible y a la vez cercana; como un sol cegador al que sólo te atreves a mirar de refilón, al que no puedes mirar directamente o te cegará.

La caja de Pandora, recuerdo la primera vez que la llamé así y ni siquiera estaba dentro, sólo fui a visitar a alguien. Por supuesto, algo tan temido debe tener un nombre mucho más amable; Unidad de Internamiento Breve, planta de Psiquiatría. Creo que anoche me pasé con las pastillas.

Doctora Silvia Hernández, eso es lo que pone en mi casillero. Un nombre que más que un nombre es como una armadura. Cuando alguien se dirige a mí diciendo "doctora", es instintivo, pongo un fuerte escudo entre lo que me vaya a decir esa persona y yo. Sé que los médicos debemos estar preparados para ver las desgracias ajenas; muertos, heridos, mutilados... Estaba preparada para eso, pero cuando opté por la plaza de psiquiatría no sabía que lo iba a vivir como algo tan... íntimo.

Debería haberme quedado con la plaza de dermatología, o incluso la de traumatología. Sé que la gente piensa que los accidentados de tráfico marcan mucho, pero esto es distinto. Esta gente, mis pacientes, están heridos por dentro. Más adentro que cualquier lesionado, incluso más que aquellos con problemas neurológicos, no sé explicarlo.

La UIB es como un hospital dentro de otro hospital. Las medidas de seguridad que seguimos aquí son inimaginables en cualquier otro departamento. Mis colegas que ya han acabado la residencia dicen que soy afortunada, que en el Psiquiátrico se ven casos mucho peores. Puede que para ellos sea así, pero a mí me resulta más duro esto. Los pacientes de aquí son todos recuperables. Una tiene esperanzas en su sanación. Pero a más esperanzas, más riesgo de sufrir cuando no las ves cumplidas.

El paciente de la 017 aún duerme, tiene un cuadro de intoxicación. No es muy grave, incluso pudo haber sido accidental, pero su expediente dice que lo han atado. Debe tener algún episodio violento anterior en su historia, cuando eso pasa siempre los atan, da igual el motivo del actual ingreso. Nos cubrimos muy bien las espaldas. No me extraña sentir alivio cuando pienso que en verano ya habré acabado la residencia. No sé lo que voy a hacer con mi carrera. Pero por lo menos seis meses de descanso me tomo.

El local tenía un cierto aspecto sórdido. Pero no asustaba, era como la atracción de un parque temático, en cuanto te acercas un poco ves que todo es falso. Las manchas de la pared no eran de infinidad de porros apestando el lugar, sino pintadas intencionadamente. La barra de madera con acabado gótico tenía los agujeros de la carcoma hechos artificialmente ideados por algún empresario del bricolaje. No era ningún antro, tan solo el consuelo de aquellos que hubiesen preferido perderse en uno auténtico.

Hacía ya seis meses desde que Jaime había salido de su último ingreso. No había sido el peor de los tres. A los pocos días pudo convencer a los psiquiatras de que todo había sido un accidente, que no se había intentado suicidar, no esa vez al menos.

Jaime estaba totalmente integrado en el ambiente, vestía con una chaqueta de cuero negra, barba descuidada, el cabello ondulado le cubría parte de las orejas y lo llevaba igualmente descuidado. Su piel era blanca y sus ojos oscuros con unos sutiles reflejos verdes, como esmeraldas al fondo de una oscura mina. Un rasgo que ninguna mujer admiraría bajo aquella escasa luz. Sin embargo, sí había algo destacable, era el único de todo el local que se pasaba toda la noche sin beber nada de alcohol. Había aprendido la lección, al menos aquella.

"Si tienes la química de tu cerebro tocada por culpa de una enfermedad, más te vale no echarle más leña al fuego". Es lo que solía decirles a los pocos amigos que le quedaban tras las crisis de los últimos años. Estaba acostumbrado a que la gente de su entorno se pusiera de hachís, alcohol, y en contadas ocasiones cocaína. Pero Jaime, aunque no presumía de sabio, sí intentaba no cometer más de una vez el mismo error.

Era normal que a esas horas en el Luz Negra se oyesen gritos y amagos de peleas. Jaime se sentía extraño en esas situaciones, ser el único sobrio y no drogado del local era como ser un socorrista en una costa atestada de tiburones. Decidiendo si vale la pena o no salvar al ahogado.

Una chica daba gritos incomprensibles en el billar. Usaba, o mejor dicho, intentaba usar una jerga muy científica para ponerse por encima del otro.

—Mierda—, pensó Jaime, se ha caído, conozco a un par de elementos de los que la rondan. No dudarán en llevarla a algún callejón para bajarle las bragas si no la saco de ahí. Tengo suerte, ahora discuten los cromañones entre ellos.

Jaime miró a la camarera. Alicia sabía de su abstinencia aunque desconocía sus motivos, con un simple gesto de Jaime, sacaron a la pobre chica del fondo del local y consiguieron parar un taxi.

Jaime intentó reanimarla. —¿Cómo te llamas?, ¿Dónde vives? —. Tras varios intentos consiguió unas señas muy cercanas y que se llamaba Silvia. La hubiese podido llevar andando si no fuera por su estado. Jaime tuvo que registrar los bolsillos de sus ceñidísimos vaqueros para poder abrir el portal. No le gustaba el papel de héroe, pero ya que estaba allí le parecía absurdo no seguir más allá. La dejó sobre la primera cama que encontró en el piso, ni siquiera encendió las luces. No estaba borracho, pero sí tenía mucho sueño, en cuanto adivinó la oscura silueta de un sofá, se dejó caer sobre él.

Jaime se levantó al amanecer, sin su medicación sabía que no conseguiría dormir muchas horas seguidas. El piso estaba extrañamente decorado con un aire étnico. Las paredes y los estantes estaban llenos de objetos comprados en Portobello o los mercados de Marrakech. La tal Silvia dormía profundamente, sólo le había quitado los zapatos. Era bastante guapa, con una melena de leona de un color rubio oscuro que le recordaba a la Emma Suárez de sus primeras películas. Bueno, al menos no había vomitado. Jaime se encontraba más atontado y somnoliento que antes de dormir, así que como pudo salió de aquel piso.

Un fuerte dolor, como una punzada en la base del cráneo levantó a Silvia. No tardo ni un segundo en venirle a la cabeza esa desagradable sensación de "otra vez no".

Sin embargo, las anteriores veces había despertado en casa de alguna amiga o incluso junto a algún esporádico amante mucho menos deseable bajo la luz del día. Esta vez no, estaba en casa, en casa y sola. No podía ni pensar en ello. Apoyándose en las paredes, fue directa al cuarto de baño, y se metió vestida en la ducha. La ropa le apestaba a humo, odiaba esa sensación. Dejó que el agua caliente la empapara y se fue desnudando bajo ella mientras la ropa iba cayendo sus pies. Le gustaba esa sensación, el leve cosquilleo del agua sobre su rostro. Normalmente no necesitaba más para superar la resaca. No sabía si por alcoholismo incipiente o genética, pero parecía tener cierta resistencia al alcohol. Tampoco había tenido sexo anoche, podía notarlo. También podía notar las ganas que tenía de ello. Era extraño cómo la ansiedad puede empujar a alguien a desear tanto el sexo. Como un ansiolítico natural, Silvia dejó que el agua caliente entrara dentro de ella acompañando a sus diestras caricias. Lo prefería así, ella sola, sin amante que sospechara de sus verdaderas motivaciones o que la repudiara.

Después de la ducha y haberse masturbado sólo necesitaba enfundarse en su grueso albornoz blanco y tumbarse en el sofá. Eso la hacía sentir bien, como la cliente de un balneario. Con la mente en blanco, y sin prisas para volver a la realidad.

Se despertó con una fuerte mueca de desperezo. Era otro de sus pequeños placeres, quedarse dormida recién duchada. Para ella era como los cinco minutos que le arañas al despertador justo antes de tenerte que levantar, más placenteros que descansar la noche entera.

Cuando se incorporó la vio, no entendía cómo no la había visto antes. A los pies del sofá había una pequeña y desgastada libreta. No pudo evitar mirarla atentamente antes de atreverse a cogerla. Era muy pequeña, cabría en el bolsillo de unos vaqueros o una chaqueta, tenía bordadas unas letras orientales en dorado sobre fondo negro, el lomo era encolado, no de anillas, era como si fuera un libro de bolsillo. Un cuaderno que estaba claro que no estaba ideado para hacer la lista de la compra. Quien comprara algo así debía tener la intención de escribir algo trascendente, aunque fuese sólo la intención y no la habilidad.

Silvia la cogió con mucho cuidado, su tacto era gastado y suave, como una prenda de cuero que es más cómoda cuanto más se usa. Primero hojeó las páginas sin leerlas, más de la mitad de las hojas estaban escritas a mano con diferentes bolígrafos y plumas, pero siempre la misma letra. Cerró el pequeño cuaderno rápidamente, por un instante se sintió intrusa en territorio ajeno.

Era obvio que la libreta estaba relacionada con la noche anterior aunque no podía recordarlo. ¿La habrían dejado allí intencionadamente? Mientras se preparaba un café aún en albornoz pensó que lo mínimo que podía hacer era restaurar aquel pequeño tesoro. Sólo podía lograrlo si había en su interior algo que le pudiese indicar su procedencia. Con la humeante taza de café en la mano, Silvia decidió leer la primera página.

¿Por qué las lágrimas son saladas?

La sangre es dulce y espesa; y nos recuerda nuestros orígenes. El sudor es almizclero, y evoca pasión y repugnancia por igual; pero... ¿Por qué las lágrimas son saladas?.

Quizá son saladas como el mar para recordarnos que son iguales para todos nosotros, al igual que procedemos todos del mismo océano.

Quizá son saladas para que una vez secas su rastro de sabor nos recuerde que a veces son necesarias.

Quizá son saladas para que el amado o amada las saboree mientras corren por las mejillas, y así con su sabor comparta nuestra emoción.

Quizá son saladas para que a diferencia de la lluvia no sirvan para dar la vida, sino como lápida y testimonio de lo vivido.

No sé por qué las lágrimas son saladas, pero quizá si no lo fueran no las amaría y odiaría tanto.

Silvia se sorprendió a si misma con el café frió en la mano sin haberlo probado. No era lo que había esperado encontrar escrito. Esperaba algo mucho más egocéntrico, como un texto donde el yo, yo, yo fuese una constante. No sólo le había sorprendido el tono en que estaba escrito aquello, sino su contenido. En aquel momento no lo hubiese admitido, pero en el fondo deseaba poder leer mucho de aquel cuaderno antes de averiguar a quién debía devolverlo.

Jaime llegó a su casa casi al mediodía, comió algo, se pegó una ducha y se relajó frente al televisor. La caja tonta era un buen sustituto para poder descansar, cuando sabía de antemano que en la cama no iba a dar más que vueltas y vueltas. Vivía con sus padres, los dos estaban jubilados y hacían mucha vida fuera de casa. Inserso, club de lectura, antiguos compañeros de trabajo, etc.

Había tenido muchos problemas con ellos los primeros años de la enfermedad. ¿Y qué bipolar no?, se decía Jaime.

Los padres siempre caen en dos trampas, el auto culparse de lo que ocurre y la sobreprotección. Ambos son dos reacciones muy naturales, muy "instintivas".

La primera reacción de todo padre o madre cuando le ocurre algo malo a su hijo es culparse de ello. ¿Qué hice mal?, ¿Por qué no lo metí en la guardería?, ¿Por qué discutimos tanto frente a él cuando era un niño? Es natural, es algo que todos los padres hacen y más cuando se trata de algo psicológico. Sin embargo, con el tiempo y escuchando las voces de los médicos y expertos en la enfermedad, se suele ir acabando con este problema.

La sobreprotección suele ser el más grave de los problemas que tenemos los bipolares con nuestros padres. Esta enfermedad cambia mucho, lo dice su propio nombre, entre dos polos, como un péndulo de la salud mental. Las precauciones y la protección son necesarias muchas veces. Lo difícil es hacer entender que lo que no puedes hacer es tomar las mismas precauciones sea cual sea el estado de la persona.

Si proteges demasiado a un bipolar lo ahogarás, y lo único que conseguirás es que todo empeore. Yo pienso que somos nosotros, los propios afectados, los que tenemos que ir aprendiendo, y poco a poco hacernos cada vez más responsables de nuestro estado. Tomar las precauciones necesarias en cada momento por nosotros mismos. Claro que ése es un ideal que nunca terminaremos alcanzando del todo, pero se puede hacer mucho.

Jaime llevaba una vida tranquila, la mayoría de sus amistades estaban aún estudiando en la universidad. A pesar de que había abandonado los estudios de pedagogía hacía un par de años, podía mezclarse con facilidad en el ritmo de vida de sus amigos estudiantes. Jaime pensaba que cuando todos ellos empezaran a trabajar, a casarse, a tener hipotecas y cosas así sería más difícil estar a su nivel, pero prefería no pensar en ello.

¿Quién es el arte?, ¿Qué es el artista?

El artista está envenenado, es aquél que tiene en su interior tal ponzoña, que muere por dentro. El artista no crea, vomita aquello que si dejara en su interior lo mataría. Mana de su cuerpo con gran dolor como sangre negra de una herida letal, y el día que no corra por el suelo correrá por sus venas condenándolo a la muerte en vida, una muerte silenciosa, sin rastro, sin vendas empapadas.

A todos os digo pues, bebed de la sangre envenenada del poeta y llorad por aquel entre muchos, el que nunca notaríais que bajo sus ropas, esta lleno de heridas cerradas.

Lunes por la mañana, ¿quién no odia los lunes por la mañana? Silvia iba al trabajo en metro. Siempre le había gustado leer en el metro, pero nunca había tenido algo tan especial para leer entre sus manos.

Silvia trabajaba en la consulta privada de un psiquiatra con cierto prestigio. El Dr. Cuesta era el padre de Lucía, una amiga suya de la facultad que había optado por otra especialidad. Cuando ambas terminaron la residencia, Lucía le ofreció a Silvia que trabajara con su padre, sabiendo lo duro que le había sido para ella la residencia. Lucía pensaba que el ejercicio por la privada podía resultarle "menos duro" y su padre agradeció la ayuda.

A Silvia le resultaba cómodo, era cierto que le resultaba menos duro ver a menos cantidad de pacientes y poderles dedicar más tiempo. Además, resultaba irónico, pero era algo innegable que las familias o las personas que podían permitirse el gasto del tratamiento privado no solían ser los casos más graves.

Cuando Silvia llegó a la consulta su amiga Lucía le estaba esperando en el portal.

— ¡Hola niña!, tengo quirófano esta tarde y tengo un ratito libre. ¿Te apetece un café?

Lucía era una chica muy risueña, siempre tenía una amplia sonrisa en la cara. Era una de las facultades que Silvia admiraba más de su amiga del alma. Lucía era lo que se podría decir una chica menudita, no era muy alta y bastante delgadita. Sus ojos eran grandes y de un color castaño muy claro, llevaba el pelo de igual color y cortito dándole una forma más redondeada a sus facciones de la que le confería su constitución. Era bastante atractiva y tenía lo que Silvia consideraba una vida emocional bastante más sana que la suya. Lucía había elegido traumatología y siempre que podía entraba en quirófano a hacer "mecano" como ella solía decir. Silvia le tenía un gran respeto, era muy buena cirujana. A veces desearía que sus sesiones de terapias le sentaran tan bien a sus pacientes como cuando Lucía reconstruye las extremidades de alguien, o incluso los saca del quirófano con una cadera nueva.

— ¿Qué llevas ahí Silvia?, no parece el típico libro de bolsillo que sueles pasear por los andenes del metro. No me digas que estás escribiendo la melodramática historia con Manuel – Lucía hacía aspavientos como si se sofocara, burlándose de dicha posibilidad - .

"Cállate" - Silvia estaba acostumbrada a las bromas de Lucía, pero ella misma se sorprendía ruborizándose ante la mención del pequeño cuaderno-.

—No te lo vas a creer Lucy, desde principio a fin la historia de esta libretita es para no creerla.

Silvia se sorprendió una vez más guardando silencio mientras les tomaba nota el camarero. Solían ir a una cafetería italiana que había cerca de la consulta del padre de Lucía. La decoración era muy elaborada, a Silvia le recordaba un poco su propio piso, y el olor de croissants recién horneados era un buen acompañante para el café. De hecho, lo normal era comer uno, aunque fuera a medias, junto con el café.

—Lo creas o no este cuaderno apareció en mi casa el domingo por la mañana.

—Pues sí es sorprendente, los domingos por la mañana suele aparecer algún hombre en tu cama pero… ¿un libro?, si es un cambio.

— ¡No te burles!, en serio Lucy, no se con quién fui, ni dónde estuve. Bueno, sí sé que no me acosté con nadie, eso lo noto. Empiezo a dudar incluso si fue intencionado o accidental el que apareciera allí este librito.

—Bueno, ¿Por qué tanta intriga?, ¿Qué contiene?

Silvia no supo explicarlo, o quizá no quiso. Tampoco dejó que Lucía examinara el objeto misterioso. Sólo le dijo que era muy bueno, o al menos a ella le encantaba su contenido. Tanto que por eso lo estaba leyendo muy despacio, quería saborearlo.

Lucía estaba extrañada por toda la historia, más de lo que lo exteriorizaba, pero le alegraba que su amiga por un día dejara de hablar de Manuel. Su anterior pareja había elegido el peor momento para dejarla, justo cuando acabó la residencia. Todos sus amigos sabían lo mal que lo había pasado como MIR de psiquiatría y Lucía pensaba que Silvia no supo manejar el abandono de Manuel. Ella estaba muy atada a él, y desde entonces, Silvia sólo había tenido amantes esporádicos. Ella también, pero a diferencia de Lucía, Silvia intentaba llenar un vacío con cada hombre que metía en su cama y eso no es bueno para nadie.

Silvia pasó el resto del día sin sobresaltos. En la consulta le servía al padre de Lucía para llevar un poco la contabilidad y pasar las historias al ordenador. El Dr. Cuesta era de la vieja escuela y negado para el uso de la informática. A Silvia le gustaba poder dedicar pequeños momentos a esas tareas, era un alivio entre paciente y paciente.

Llamaron del hospital; Pedro, uno de sus pacientes, había entrado por urgencias la noche anterior. Siempre era duro una noticia así. Al menos, gracias a las historias digitalizadas podía enviar la información a la UIB para que lo medicasen con los fármacos que sabían que le iban bien. Silvia pensaba que era curioso como un detalle tan pequeño podía marcar una diferencia tan grande en la experiencia de un ingreso.

Sin embargo, no era algo poco habitual. Muchos de los pacientes de la consultan tenían un par de ingresos al año. Silvia recordaba los consejos del doctor cuando empezó a trabajar con él. "Debemos intentar que el paciente no viva el ingreso como un fracaso, pero sí debemos insistir en que deben aprender de ellos, y de los desencadenantes que le llevaron a ese punto". La verdad era que la consulta del Dr. Cuesta tenía cierta filosofía de crecimiento personal que no se encontraba fácilmente ni en la sanidad pública ni en otras consultas. Esa era una de las cosas que más le gustaba a Silvia de trabajar allí. La sensación de ir poniendo granitos de arena en un largo camino.

No podía creerlo. No lo echó en falta hasta que quiso escribir de nuevo. Había perdido su libreta. Jaime no se consideraba a sí mismo una persona muy ordenada, pero no era propio de él perder algo así. No estaba ni siquiera seguro de cuándo o dónde la había perdido. Siempre la llevaba en el bolsillo interior de la cazadora de cuero y ésta la llevaba a todas partes. Si se le había caído en la calle estaba perdida, sólo le quedaba la esperanza de haberla perdido en alguno de sus lugares habituales.

Sin pensarlo dos veces, entró en el garaje y arrancó su vieja moto. Mentalmente repasaba lo que recordaba haber escrito en ella. Nada del otro mundo, pensaba, pero eran sus reflexiones, o pajas mentales que recordaba que solía decir un profesor de la universidad un tanto bohemio.

Jaime tenía una vieja Yamaha SR 250 de más de diez años. Era una moto que le confería cierto estilo, no era ni una "choper" estilo harley ni una de esas deportivas de las que tienes que ir inclinado sobre ella. Era negra, desgastada y con un cierto aire a moto de la segunda guerra mundial. Simbolizaba la auténtica libertad que le ayudaba a seguir adelante. Poder ir a cualquier lugar en cualquier momento, sentir el aire en la cara. Muchas veces disfrutaba tanto del viaje como del lugar de destino. Llevaba dos cascos en una especie de maletín que llevaba encima de la matrícula pero casi nunca usaba el segundo. Cuando la "heredó" de un hermano de su padre, también heredó los cascos. Además, llevaba dos carteras de cuero negro a ambos lados del sillín como si fueran alforjas. Algo que acentuaba la apariencia clásica de la montura.

Pero ese día Jaime no pensaba en nada de aquello. Mientras conducía, esperando absorto en un semáforo en rojo solo podía pensar en dónde podría haber perdido la libreta. Se sorprendió a sí mismo pensando en que tenía muchos "lugares habituales". Pensaba que era curioso como cuando uno no tiene un verdadero lugar propio, hace suyos otros; cafeterías, atardeceres, lugares para leer, lugares para pensar... Por mucho que hubiesen mejorado las cosas con sus padres, seguía sin tener lugar propio, no tenía casa, no tenía intimidad, ni trabajo, ni dinero, ni pareja, solo le quedaba su limitada libertad.

El claxon de un coche le sacó de sus pensamientos. Iría primero al lago. Lago, pantano, embalse; la gente lo llamaba de muchas maneras. Estaba a unos cuarenta y cinco minutos en carretera desde la ciudad. Un pantano de esos que se llenan de turistas en verano, pero Jaime solía ir a zonas apartadas del mismo, era lo suficientemente grande. Una roca justo en el borde del agua desde la que uno podía tirarse al agua. Era su "lugar", un sitio al que normalmente les daba pereza a los bañistas venir desde el mirador, estaba lejos. Jaime iba siempre con la moto campo a través, por una senda improvisada entre pinos sobre un manto de pinocha.

Antes de estar diagnosticado, cuando la enfermedad era un caos, solía ir allí a fumar hachís y a montar fiestas con quien se apuntara. Ahora venía aquí a pensar, leer y escribir. Sentía como si el sitio hubiese cambiado al igual que él. Era su lugar favorito.

Normalmente dirigirse a la "piedra del lago" era suficiente para que Jaime se relajase y que sus pensamientos empezaran a fluir, pero esta vez era distinto. Quería llegar lo antes posible y saber si estaba allí. Pero la sorpresa que le esperaba era bien distinta.

Jaime aseguró la moto y guardó el casco. Sobre la roca había unas ropas, unas ropas de mujer. No había toalla, pero sí la ropa interior, todo apuntaba a que alguien se estaba bañando desnuda. No resultaría tan extraño en un lago así, pero aquel era un lugar bastante apartado y Jaime conocía a todos los posibles visitantes de aquel sitio. Por desgracia, solo necesitó mirar en derredor para saber que el cuaderno no estaba allí.

Desde dónde se encontraba, pudo ver a la extraña bañista, ella no le veía a él pero incluso desde la distancia pudo reconocerla. Jaime emitió un profundo suspiro. Era Alicia, no cabía duda. Aquello no hubiese tenido que significar nada malo, pero Jaime sabía que el hecho de que Alicia estuviera allí, sola y bañándose desnuda sólo podía significar una cosa. Estaba maniaca.

Jaime conoció a Alicia en su primer ingreso. Ambos bipolares, ambos en episodio maniaco. Los dos recibieron su primer diagnóstico de bipolaridad en aquel ingreso. Mostraban las principales señales, los principales síntomas. Tenían exceso de energía, no dejaban de hablar, les costaba mucho incluso sentarse a comer, sus cuerpos no les pedían dormir. En general no podían parar, parar de hacer, parar de pensar, empezaban una frase y la terminaban con otra idea distinta. En aquel entonces Jaime pensaba que era un chollo, él nunca había probado la cocaína pero se sentía como un Obelix que había caído en una marmita de coca al que nunca se le bajaba el "subidón". Pero se termina pasando tarde o temprano, y cuando miras hacia atrás es como un campo de batalla. Has acabado con tu familia, tus amigos, tu dinero, todo. Las consecuencias de una crisis maniaca de un mes de duración puedes estar pagándolas durante el resto de tu vida. Jaime se confesaba a sí mismo que temía mucho aquello.

La enfermedad con la máscara del placer, algo muy aterrador.

Alicia terminó viendo a Jaime esperándolo sentado sobre la roca. Gritó, e hizo grandes aspavientos intentando convencerle de que se uniera a ella, después se dirigió todo lo rápido que pudo hacia la orilla. Alicia tenía lo que Jaime consideraba un físico ideal, pero intentaba no decírselo. Ni demasiado alta, ni demasiado baja; ni demasiado delgada, ni demasiado rellenita. Tenía una melena larga, negra y lisa, con mucho volumen. Sus ojos eran de un verde intenso y oscuro. Su piel era muy clara pero sus pezones oscuros y su vello púbico escaso e igualmente oscuro y liso. Alicia salía del agua desnuda, pero no era la primera vez que Jaime admiraba aquel cuerpo.

Lo primero que hizo Alicia al acercarse a Jaime fue abrazarle por el cuello, desnuda y mojada sin importarle nada. Jaime intentaba recordar aquello que oyó en el grupo de psicoeducación cuando las sesiones iban dedicadas a los familiares. "A una persona maniaca nunca se le puede llevar la contraria, si te conviertes en un obstáculo para el maniaco, hará todo lo posible para quitarte de en medio y seguir su delirante plan".

—¡James!, que bien haberte encontrado aquí. Tengo tantas cosas que contarte, quiero que me ayudes. ¿Sabes?, he vuelto a pintar, bueno aún no, pero tengo muchas ideas. ¿Puedes ayudarme?, es que si pudiera pintar seria la ostia. Tengo unas ideas buenísimas, seguro que nadie ha hecho algo así. Cuanto más lo pienso más claro lo veo, así dividido en partes pero todo junto, como llenar una habitación entera. ¿Trajiste la moto?.

— Ali, ¿Cómo has llegado hasta aquí?.

—No sé, andando.

— ¿Desde dónde?,¿desde tu casa?

—Sí, ¿por?

—Son más de diez kilómetros Ali.

—Sí, bueno, cogí un atajo.

—Ali, ¿Cómo estás?

—¿Cómo que cómo estoy?

—¿Te encuentras tranquila?, ¿estas acelerada?, ¿de tono bajito?.

—¿Tú también James? – en ese momento se soltó de Jaime pero permaneciendo tumbada a su lado -.¿Qué me vas a decir, eh?. Me encuentro bien ¿vale?. Joder, no tengo derecho a pasarlo bien.

Jaime sabía que jugaba con fuego. Alicia había sido capaz de caminar toda la noche sin parar para llegar hasta allí. Si ella se revelaba contra él, era posible que dejara de confiar en nadie. Tenía miedo, sabía que estando así podía ponerse delante de un coche o pasarse con las drogas. Cualquier locura que se le ocurriera.

Su cabeza intentaba pensar rápido, allí tan lejos era imposible pensar en llamar a urgencias para que vinieran a buscarla, tardarían demasiado. Solo podía ser su Sancho Panza hasta que la situación fuera mejor.

—James, no me has olvidado, ¿verdad?.

—¿Qué?, ¿Por qué me dices eso?

Alicia volvió sobre Jaime, pero esta vez se puso encima de él, con el torso erguido.

—¿Sabes?, el sexo de aquellos días fue el mejor de mi vida. Yo era una niña. Pero tú sabías a la perfección lo que quería. Cómo te colabas en mi habitación por las noches. Como me tocabas en silencio.

—Ali, eso fue hace años, yo estaba enfermo.

—Shhh… calla mi loquito

Alicia empezó a besarle. Jaime recordaba aquellos días de su primer ingreso, cuando conoció a Alicia. Sentía una mezcla entre vergüenza y repugnancia por lo que hizo. Fue muy excitante, y aunque los dos estaban sufriendo sendos episodios maniacos, no podía evitar sentir que se había aprovechado de ella. Además, ella era menor que él, solo unos años, pero Jaime no podía dejar de pensar que quizá Alicia había perdido la virginidad con él, nunca se atrevió a preguntarle.

Jaime dejó de besarla y se puso de pie.

—Vístete por favor, te llevo a casa. Cuéntame tus planes, tus ideas pero no Ali, esto otra vez no. No es por ti, no quiero volver a hacerlo con una manía… quiero decir, no quiero aprovecharme de ti.

Alicia miró extrañada a Jaime, por un momento se pudo leer la ira en su rostro pero cambió en un segundo. Afortunadamente para Jaime las personas en ese estado cambian las ideas en su cabeza con mucha rapidez. Rara vez tienen tiempo para la reflexión o el resentimiento.

Jaime llamó a un taxi mientras Alicia se vestía. No se atrevía a llevarla en la moto, no estando así. Mientras esperaban, Alicia no hacía más que atosigar a Jaime con ideas delirantes de negocios, creaciones artísticas, incluso comentaba de principio a fin las películas que había visto.

Ni Alicia, ni Jaime sabían mucho el uno del otro, no al menos de su vida normal. Sólo se encontraban o se buscaban cuando estaban en crisis maniacas. Durante sus eutimias o etapas equilibradas los sentimientos de vergüenza y culpabilidad les mantenían separados.

Dentro del taxi, Jaime no dejaba de mirar a Alicia, que no podía dejar de hablar. Jaime pensaba que le era muy difícil definir la relación que tenía con ella. Nunca había sido su novia, ni siquiera su amante, era una compañera, como alguien que te ha acompañado en un naufragio o durante una guerra. Tenía una empatía hacia ella, un sentimiento de preocuparse por el otro que la convertía más en una especie de hermana pequeña para él.

Jaime pudo llamar a un hermano de Alicia, del que conservaba el número de teléfono, para que los esperara en el centro. Jaime hizo muchas promesas sinceras a Alicia; que esta vez iba a ser distinto, que la llamaría y se verían. No quería perderla. Verla así, estando él estable, le había abierto los ojos en cierta manera. Ahora era más consciente de lo que habían pasado juntos, pero también de lo que sentía por ella.

Su hermano era mucho mayor que ella, unos quince años, parecía casi su padre. Su reacción fue un poco hermética, un seco agradecimiento a Jaime, y tajantemente se ofreció a pagar la larga travesía en taxi. Una parte de Jaime se sentía como si la entregara a su carcelero, pero sabía que hacía lo mejor.

Jaime pagó el taxi de vuelta para coger su moto. En el viaje de vuelta sintió con fuerza cómo le afectaba todo aquello. "Lo duro de ayudar a otro bipolar es que corremos el riesgo de que nos arrastren"; nunca había sentido aquello que explicaban en la asociación, pero ahora lo entendía. Incluso resistiéndose activamente a todo lo que Alicia le proponía, Jaime se sentía muy alterado, con ansiedad. Era algo tan cercano, tan conocido, esa gran empatía podía arrastrarle y acabar maniaco él también. Conocía gente en la asociación que había hecho acompañamientos muy exhaustivos, pero él no se veía capacitado. Aún no, y puede que nunca.

La cara de la Diosa.

Según la biología, una mujer es atractiva para un hombre cuando aúna las cualidades físicas que merecen ser transmitidas a la siguiente generación y que le permitirán ser una buena madre. Quizá eso sea cierto, pero si hay divinidad en la naturaleza, si Adán y Eva no son una falacia sino una metáfora, si Dios existe tras la vida y la evolución, y puesto que la evolución se gesta en cada nueva generación, en el vientre materno cuando los gametos se unen formando un nuevo ser único y genuino. Si esto es así, no debe ser Dios, sino Diosa.

Y si la atracción hacia una mujer es mas grande cuanto más la conocemos, cuanto más la sentimos, cuanto más la hacemos nuestra. Entonces yo digo que lo que llamamos amor es en realidad, vislumbrar la cara de la Diosa.

Habían pasado varios días y la misteriosa libreta había encontrado un lugar privilegiado en la mesilla de noche de Silvia. Le gustaba leer un par de páginas antes de dormirse. Esos minutos de oscuridad que preceden al sueño los pasaba pensando en lo leído.

El dormitorio estaba decorado con objetos de multitud de viajes; Tailandia, Turquía, Venecia, Roma, Paris, Dublín, etc. Iluminado por la cálida luz de la mesilla, parecía que fuera Silvia la que estuviera escribiendo de sus viajes, de lo que había conocido y de lo que le habían hecho pensar aquellos lugares. Sin embargo, Silvia pensaba que el autor de aquel manuscrito, de alguna forma, había viajado a lugares aún más lejanos.

Desde que había tomado la costumbre de leer antes de dormir, habían cesado las pesadillas. Esas oscuras pesadillas en las que llegaba a casa y no encontraba a Manuel. A veces encontraba la casa vacía, como sin muebles, o todo el edificio vacío, o toda la calle. Una sensación de abandono tan intensa que muchas veces se sorprendía despertándose con las mejillas mojadas de haber llorado mientras dormía.

No recordaba que soñaba últimamente, pero de alguna forma sabía que no soñaba con su casa, o con su calle. Viajaba lejos, aunque sin recordar a dónde. No le importaba, lo importante era viajar, lejos;

dónde su pasado no la encontrara. No huía, sólo necesitaba nuevos horizontes y dejar a Manuel atrás.

Se acercaba el fin de semana, y no recordaba cuando había sido la última vez que lo afrontara así. No era irreflexivo optimismo lo que sentía, era alivio, algo había dejado atrás gracias a este viaje.

Ese mismo viernes Silvia salió de copas con su mejor amiga. Lucía siempre era la más extrovertida y atrevida de las dos cuando salían juntas. Sin embargo, esta vez era distinto, y Luci se alegraba mucho de ver como Silvia esta semana estaba mucho más relajada. Se hubiese atrevido a decir que no veía así a su amiga desde antes de que saliera con Manuel, pero prefería no decirle nada.

Silvia y Luci tenían muchas caras familiares entre los bares del barrio gótico. Conocían los locales, que tipo de música tenían, dónde era un buen sitio para beber, dónde era un buen sitio para bailar y dónde un buen sitio para charlar.

Jaime gastaba su noche en el Luz Negra como era habitual. No se encontraba muy animado, la experiencia con Alicia le había marcado. Debía ser cauto, no podía permitir que todo esto fuese el desencadenante de una crisis depresiva. Hacía un par de días tenía miedo a una crisis maniaca y ahora con miedo a una posible depresión. Jaime se sentía como un funambulista sobre la cuerda floja, un solo descuido y caería en el abismo no importa si a un lado u otro. El cuerpo le pedía un buen trago, pero ya había aprendido la lección de que eso no le llevaría a nada, así que se conformó con otra tónica, la tercera de la noche.

Alguien le tocó el hombro, era extraño, los conocidos de Jaime no le molestaban cuando le veían así. Era esa chica, la que le recordaba a Emma Suárez, estaba sonriente. La camarera sonreía también, al parecer la había ayudado a localizarlo.

—Hola— Silvia se sentía extrañamente tímida, incluso ruborizada.-¿Eres tú el autor de la libreta?.

—¡¿La tienes tú?!

—Sí, se te cayó en casa, ¿puedo invitarte a algo?.

—No tomo alcohol

—Lo sé, solo quiero agradecerte…

Luci no daba crédito. Una cosa es que Silvia estuviera animada, pero acercarse a alguien de la barra. Su amiga estaba realmente cambiada, el chico tenía cara de buena persona, algo bohemio, pero no era especialmente atractivo. Que sea lo que dios quiera pensó Luci. Eso sí, nos le quitó el ojo de encima en toda la noche.

Silvia se sentía como una adolescente, ¿estaba ligando con este chico?, no sabría decirlo. Hablaban de cosas banales, de la música, cosas así. Pero no se atrevía a decirle que había leído parte de su "diario". Aunque fuera de temas intrascendentes, Silvia podía notar la especial forma de ver las cosas que había notado en los escritos de Jaime.

Jaime se sentía bien, la chica era inteligente y era un agradable cambio dejar de oír el eco de sus propios pensamientos. No podía contárselo, pero esa primera noche, sin saberlo, era Silvia la que le había salvado a él.

Ambos tenían muchas cosas en común, quedaron ese sábado para verse y así Silvia pudiera devolverle su pequeña libreta. Cuando Jaime se despidió con la moto de las dos amigas mientras amanecía, Luci miró a su amiga con cara cómplice. Silvia se ruborizó aún más al ver la cara de su amiga; —¡¿Qué?! —.

El Café di Roma; Silvia citó a Jaime en su frecuentada cafetería italiana. No sentía miedo de que apareciera por allí Lucía, o incluso su padre el doctor. Sentía una extraña intimidad con aquel chico, era normal, aunque él no lo supiese ya le había abierto las puertas de su; ¿alma?, ¿corazón?, ¿su mente?. Silvia sonreía sola por la calle cuando pensaba en él. En su imaginación le veía escribiendo aquellas pequeñas reflexiones, esas formas de ver la vida que tanto le habían ayudado. Le veía con su moto y su chupa de cuero escribiendo en algún lugar remoto, frente algún paisaje tranquilo que invitara a la reflexión.

Jaime se sentía extraño, no recordaba la última vez que había tenido una cita así, si es que era una cita. Como bipolar se sentía muy maduro incluso curtido emocionalmente. Sin embargo, a nivel de experiencias "tangibles" era un auténtico analfabeto, casi como un preadolescente. No tenía que pensar mucho en sus compañeros de la asociación para saber que muchos jóvenes como él se encontraban en una situación similar.

Conducía su Yamaha hacia el centro. "Simplifica Jaimito", se dijo a sí mismo en voz alta. "Pase lo que pase voy a desconectar con esta experiencia, y ahora mismo es algo que me conviene, y mucho".

Cuando aparcó la moto, Silvia ya lo estaba esperando. Se supone que las mujeres son más atractivas o al menos más sensuales con su forma de vestir y maquillarse para salir por las noches, pero toda regla tiene sus excepciones. Silvia estaba radiante, su melena tenía mucho volumen y los rayos del sol le conferían reflejos dorados a sus cabellos más finos. Su rostro era luminoso, su sonrisa, sus ojos. Vestía unos simples vaqueros azules y un top ceñido de color granate. Su cuerpo era delicado, pero a la vez con unas curvas muy marcadas. Jaime se sorprendió y admitió que hasta ese momento no había pensado en su cuerpo más allá de su característica melena.

Ambos pidieron sendos cafés, algo no muy frecuente a media mañana de un lunes, pero este es un país de cafeteros, bromeó Silvia. Acto seguido puso la libreta sobre la mesa justo entre los dos. Jaime la cogió por puro instinto.

—La he leído

Jaime no supo que decir. Una vez oyó en una película que el secreto deseo de todo el que escribe un diario es que alguien lo lea algún día. No recordaba en qué película lo había oído y tampoco había pensado en esa posibilidad hasta ese momento.

—La he leído, no toda, y me ha gustado mucho Jaime. Me ha ayudado mucho conocer tus pensamientos y quiero devolverte el favor.

Jaime bajó la vista hacia su vieja libreta. Sin saber qué decir, durante unos segundos ojeó el manuscrito. Quizá pensaba como serían aquellas palabras leídas por otra persona. Quizá revisaba su contenido como si faltase algo en ella, o quizá en su memoria.

Suavemente cerró el cuaderno, miró a los ojos a la bella leona y dijo. "Acepto tu oferta". La clásica Yamaha rugió al arrancar cuando ambos abandonaron el lugar con el propósito de escribir nuevas páginas.

Silvia nunca había subido en una moto. – Es verdad lo que dicen – pensaba. Todo se ve distinto, todo pasa más rápido aunque vayas más lento que en el coche. Todo es más cercano, más real. No habían hablado nada, Jaime había tomado rumbo hacia fuera de la ciudad, ella se había ruborizado al aferrarse a su cintura, pero se había alegrado de que ese pequeño secreto se guardara entre ella y el cuero de su cazadora.

Se dirigían al lago, embalse, nunca había sabido como llamarlo. Con cualquier otro chico hubiese tenido miedo en ir a un lugar apartado tan pronto, pero con Jaime se sentía bien. De alguna forma, ya se había entregado a él.

La moto se movía con maestría campo a través, con la confianza de quien conoce de sobra el camino. Pronto llegaron a la "Piedra del Lago".

— A este sitio lo llamo la Piedra del lago; me ha acompañado durante toda mi vida. Es mi lugar.

Silvia se subió encima de la roca, miraba las azules y profundas aguas oyendo a Jaime como la voz de un narrador en una película.

— Hay una cosa que me gusta mucho de este sitio. Cuando tengo tantos recuerdos de un lugar, me encanta hacer nuevos.

Las últimas palabras de Jaime sonaron susurradas, justo detrás de Silvia, a su espalda sobre la roca. Cuando Silvia se dio la vuelta sintió sus labios por primera vez. Unos labios que sabían a ternura, a pasión y a nuevo recuerdo.

Las aguas se tornaron aún más oscuras, luego doradas y naranjas de atardecer. Las sombras de los pinos les envolvieron con la calma de la noche cuando los recientes amantes abandonaron el lugar con sus nuevos recuerdos.

Jaime la llevó de vuelta a su casa, pero Silvia no quería que la noche acabara allí. Tenerla por primera vez entre sus brazos fue embriagador. Silvia era suave, moldeable como la noble arcilla en manos del artista escultor. Su cuerpo se dejaba domar, pero al mismo tiempo su fuerza de leona tomaba el control para poseer a su presa. Jaime sentía todo su cuerpo mientras su trigueña melena lo envolvía en un éxtasis de olor, suavidad y placer. El amanecer descubrió a los amantes llenos el uno del otro, con el tacto de sus pieles marcados a fuego y sudor.

Silvia fue al encuentro de Jaime que se había levantado con las primeras luces a beber agua. Le encontró examinando su piso, sus paredes plagadas de recuerdos y viajes, ambos estaban aun desnudos y ella le abrazo por detrás. Silvia notó que algo ocurría.

— ¿Qué te ocurre Jaime?- Silvia apretó su cuerpo contra el de él temiendo la respuesta.

— El DSM-IV y el Cie-10, los tienes los dos. Muy pocas personas tendrían esos libros.

— ¿Los conoces? ¿Qué ocurre?

— No creo que quieras volver a verme.

— ¿Por qué dices eso?- Ahora se miraban frente a frente. Jaime parecía realmente abatido.

— ¿Qué eres?, ¿psicóloga clínica?

—Soy Psiquiatra – Silvia le tocaba la mejilla intentando consolarle, pero en su mente no pudo reprimir un fuerte pensamiento de "tú no, tú no".

—Ya ves suficientes locos en tu trabajo

Jaime se deshizo del abrazo y se dirigió hacia el dormitorio, en busca de sus cosas.

—Jaime por favor, no se que te ocurre, pero no me importa.

—Tengo trastorno bipolar, no quiero cargarte con eso.

—Por favor, no te vayas, hablemos.

Jaime ya se había vestido. Después de lo de Alicia se sentía como un condenado que arrastra al abismo a todos los que están a su alrededor, y saber que aquella dulce mujer se tenía que enfrentar a ello a diario pudo con él.

Con el pomo de la puerta en la mano, vestido y de espaldas a ella, Silvia le dijo las últimas palabras antes de que Jaime se fuera. —No me importa Jaime, se perfectamente lo que es el trastorno bipolar, yo no te voy a abandonar. Hablaremos, cuando estés más tranquilo, pero nunca me separaré de ti porque seas bipolar—.

Jaime titubeó un momento, sin girarse hacia ella dijo; "todos dicen lo mismo al principio". Abrió la puerta y salió de allí.

Silvia se quedó paralizada. El portazo lo había sentido en sus entrañas. Aún desnuda, se apoyó mareada en la pared y empezó a llorar a solas.

Jaime volvió a su casa, a su cuarto, a su cama. Aquella familiaridad le calmaba los nervios, pero sentía como la ansiedad avanzaba en su interior. Aquella ansiedad se transformó en rabia, se sentía como un estúpido. Se recriminaba el haberse dejado arrastrar a una ilusión. -¿Te crees que eres una persona normal porque andas por la calle, tienes tu moto y la gente no te señala por la calle?, estúpido -.

Era como ver caer un castillo de naipes. Durante días, una avalancha de emociones negativas fue arrastrando a Jaime. No salía de su casa, apenas de su habitación. Sentía que todo el trabajo que había hecho desde su último ingreso se lo llevaba el viento como briznas de paja. Había conocido a una mujer, se había acercado a lo que hubiese sido vivir una vida plena, y sólo le había servido para darse cuenta lo imposible que era vivir algo así para un loco como él.

No hicieron falta más que un par de semanas para que Jaime sintiera que merecía que lo encerraran y tiraran la llave. Sus padres veían a su hijo, y vivían la situación con una oscura resignación. La resignación de haber visto a su hijo pasar por dolorosos episodios depresivos anteriormente.

Jaime seguía medicándose, aunque solo lo hacía para que sus padres no le obligaran a salir de casa e ir al psiquiatra. La medicación no era acorde con su estado, pero era suficiente como para aplacar las posibles recriminaciones paternas.

Un bipolar en estado depresivo puede ser algo muy "cómodo". No causa problemas a su alrededor, no salen de sus casas, no se quejan, no se enfurecen, apartados y encerrados en sí mismos con su tormento. Por desgracia, sólo son visibles cuando intentan acabar con ese omnipresente dolor acabando con su propia vida. Algo, que por desgracia ocurre demasiado a menudo entre los bipolares.

Una tarde de Verano

Hoy he venido hasta la costa con mi novia. En estas fechas siempre hacemos lo mismo, en cuanto podemos, literalmente huimos del calor de la ciudad. Pero no es de eso de lo que quería escribir, quería escribir sobre ella, mi amada.

Nos conocimos hace muchos años, éramos unos niños. Al principio no me percataba de su presencia, la encontraba en muchos sitios; en el colegio, por mi barrio, creo que por aquel entonces incluso la ignoraba.

No fue hasta bien entrada la adolescencia cuando me fijé en ella; en aquella época ya era una amiga habitual. Pero fue entonces cuando me di cuenta de su devoción hacia a mí, siempre me había acompañado en los momentos difíciles y quizás porque siempre había estado ahí nunca la había apreciado. Pero eso cambió, nos abrazamos, nos cogimos de la mano y fue como si siempre hubiésemos estado juntos; quizá así fue.

Nuestra relación es muy especial, ella siempre está ahí cuando la necesito. Siempre hacemos lo que yo quiero, me acompaña a donde vaya. A veces me he separado de ella, pero ha sido por poco tiempo, siempre vuelvo a su lado, y nunca me guarda rencor. Siempre tengo su hombro para llorar, me acompaña al cine y llevo muchos años intentando irme a vivir con ella.

Pero no debo engañarme, por mucho tiempo que pase no debo olvidar que no fui yo la que la eligió a ella, porque fue ella la que me eligió a mi. Mi querida y a la vez odiada soledad.

Las lágrimas de Silvia corrieron por sus mejillas. Habían pasado semanas desde que Jaime compartiera el sudor y aquellas sábanas con ella. Jaime se había dejado tras de si su pequeño cuaderno aquella mañana. Quizá era un último vinculo que le unía a ambos, quizá solo había sido un olvido en su precipitada marcha.

Silvia se sentía viviendo su peor pesadilla. Siempre había tenido miedo de sentirse muy apegada a alguno de sus pacientes, era la razón por la que había negado la posibilidad de una plaza de adjunta en el hospital. Ahora, ni ella sabía explicarlo; ¿estaba enamorada de aquellas páginas?, ¿de su autor?, ¿se sentía obligada a ayudar a Jaime por lo que habían compartido?, las preguntas surgían una y otra vez en su mente. Otras veces pensaba que no importaba lo que sentía por Jaime o en que "consistía", no iba abandonarlo. La Doctora Silvia Hernández no había bajado su escudo de psiquiatra, se había desnudado de toda su armadura y solo pensaba en volver a estar entre aquellos brazos una vez más.

Para Jaime el tiempo se había parado, mejor dicho, se había ralentizado. Que aquellas sensaciones le fueran familiares no las hacían más llevaderas. Sentía su mente constantemente embotada. No podía pensar, todo le costaba horrores. Su madre le decía algo antes de salir a la calle, pero el no recordaba que había sido, como si hubiese visto una película acelerada en la que no consigues identificar las palabras. Ni siquiera algo tan pasivo como la televisión cobraba sentido, a mitad de una película no recordaba el argumento, y si intentaba leer olvidaba el principio de una página cuando iba a terminarla.

Además, estaba aquella omnipresente sensación de inutilidad, de que aquello iba a ser eterno, de que todo lo que había hecho en la vida no servía para nada. Una sensación tan amplia, tan dura, tan opresiva que solo podría definirse como sufrimiento.

Nada era nuevo, en la asociación Jaime había aprendido que cuando uno está realmente mal; durante una crisis álgida tanto depresiva como maniaca, llega un punto en que todo es inútil, solo queda medicarse y aguantar a que pase el temporal.

Pero por mucho que Jaime supiera que aquella idea era cierta, no era ningún consuelo.

—¿Doctora Hernández?, Pase por favor, siéntese.

Silvia se sentía muy incómoda en aquella consulta, y más sentándose en el lugar del paciente. Había tardado más de un mes y pedir muchos favores hasta poder localizar a la psiquiatra de Jaime. La Doctora Sánchez era una psiquiatra de más de cincuenta años y en el hospital tenía fama de ser "chapada a la antigua". No había más que verla, su estirado porte era el de una institutriz esnob a punto de regañarte. Llevaba el cabello a media altura y sin ocultar las canas. Silvia se sentía como una inútil, además de una vergüenza para la profesión a su lado.

— Disculpe doctora, pero no acabo de entender el motivo de su visita.

— Bueno… este paciente

— Sí, sí- la doctora Sánchez echó mano de unas gafas de lectura convenientemente sujetas a su cuello y a un grueso historial.

— El señor Jaime Royo… paciente de veinticinco años, trastorno bipolar subtipo uno. Ah, sí, ya le recuerdo, un chico muy callado.

— Sí, seguramente. Este "paciente" estuvo viniendo de forma informal a la consulta del Doctor Cuesta en la que trabajo y, bueno, quisiera poder tener acceso a su historia médica.

La doctora Sánchez arqueó una ceja en una mueca que denotaba sorpresa, mientras cogía sus gafas con una sola mano.

— ¿Por qué el doctor Cuesta no pide dicha información por los canales habituales?

— Verá doctora, este chico solo nos visitó en un par de ocasiones en momentos álgidos de sus episodios maniacos, en tal estado no pudimos hacernos con muchos datos sobre él. Queremos hablar con su familia acerca de un posible abordaje de psicoterapia para TAB que estamos poniendo en marcha en nuestra consulta — Silvia había tenido mucho tiempo para elaborar la que consideraba la mejor excusa para una irregularidad tal.

— De acuerdo, pero espero que esto no salga de aquí. Enfermera, saque una copia de esta historia.

Silvia estaba segura de lo que hacía, pero no pudo evitar que le temblaran las piernas mientras salía de aquella unidad de salud mental con la historia médica de Jaime entre sus brazos. Si llegara a saberse, Silvia perdería su título de medicina e incluso podrían juzgarla por lo penal si la familia de Jaime pusiera empeño en ello. Sin embargo, y a pesar de todo, no podía hacerse a la idea de no volver a verle, estaba dispuesta a correr cualquier riesgo.

Era una gran tentación abrir aquella historia y saber todo acerca de la evolución de Jaime. Para Silvia como para cualquier psiquiatra era un proceso muy rutinario el ojear historias médicas, cada una encerrando grandes dramas personales, pero objetivándolo al máximo, leyéndolas de una forma casi fría.

Pero Silvia no quería ser la psiquiatra de Jaime, empezaba a pensar, más que nunca, que no quería ser la psiquiatra de nadie. Sólo ojeo la primera página, la de los datos personales. Pensaba sólo en encontrarle.

Silvia estaba muy nerviosa, parada en seco, intentando calmarse delante de aquella casa. No había previsto lo que iba a encontrar al tocar la puerta, pero por desgracia no le sorprendió en absoluto. Una señora de más de sesenta años, seguramente la madre de Jaime, con una amargura en su rostro que Silvia había tenido la desgracia de ver demasiado a menudo en los familiares de sus pacientes.

- Hola, disculpe señora. Usted no me conoce pero soy amiga de Jaime, me gustaría verle. Si es posible.

La señora levantó la vista pesadamente. Ya había sido testigo de visitas como aquella, de cómo los amigos de su hijo se interesaban por él, al menos por un tiempo. También había visto con dolor como esas visitas se iban reduciendo, incluso como las amistades de Jaime se frustraban y enfadaban con él por sus nulos avances.

Silvia vio como la señora la dejaba pasar sin casi pronunciar palabra, con una resignación de quien sabe lo que va a ocurrir.

Jaime estaba en su cama, el lugar donde pasaba la mayoría del día. No miraba la televisión, no leía, ni siquiera escuchaba la radio. Simplemente estaba allí, con esa omnipresente sensación de tristeza, de sufrimiento, que lo llenaba todo.

Alguien entró en la cama de Jaime y le abrazó desde atrás. Silvia dejó caer el pequeño librito gastado delante de Jaime para que él lo viera. Consiguió hacerse con una de sus manos y la apretó con fuerza.

Silvia sabía por lo que él estaba pasando, aunque nunca podría entenderlo. Jaime solo se estremeció ligeramente y sin atreverse a girarse para mirarla a la cara dijo en un sollozo:

— ¿y ahora qué?

— Aguantaremos amor, aguantaremos.

Este libro se terminó de imprimir
en Almería durante el mes de abril de 2014

Made in the USA
San Bernardino, CA
04 February 2017